Correct Skin Care Encyclopedia

Correct
Skin Care
Encyclopedia

素肌美人になれる

正しい
スキンケア事典

3人の専門家が教える、基礎知識完全バイブル

皮膚科医 吉木伸子　元化粧品開発者 岡部美代治　栄養士 小田真規子

高橋書店

Prologue

本当に正しいスキンケアできていますか？

Really Correct Skin Care

「毎日、一生懸命お手入れしているのに、どうしてなのか、肌がこたえてくれない……」そう感じている人は、残念ながら、案外多いようです。でも、ちょっと考えてみてください。

「今のあなたは、正しいスキンケアができていますか？――」

　毎月、数多くの化粧品が発売され、効果をうたった宣伝や口コミが、私たちの耳にひっきりなしに入ってきます。あまりの情報の多さに、何を信じていいのかわからず、混乱している人も多いことでしょう。でも、肌のメカニズムやスキンケアの原則を知っていれば、氾濫《はんらん》する情報に惑わされることはほとんどなくなるのです。

　そこで本書では、「正しいスキンケアとは何か」ということや、化粧品選びジプシーから脱却するための道しるべをご紹介していきます。

　読み進めるうちに、今まで行ってきたスキンケアでは不充分だったと理解できるはず。まずは正しい知識を養い、いつまでもすこやかで若々しい美肌を保つ術を、この機会にぜひ身につけてください。

どんなにケアしても悩みがつきない。その原因はココにある

［カン違いスキンケア］

- □ 乾燥が気になるときは、化粧水でたっぷり保湿
- □ ニキビを刺激しそうなので、化粧水しかつけない
- □ シミが濃くなってきたので、毎日美白マスクを使う
- □ シワを予防するために、コラーゲンドリンクが欠かせない
- □ シワを消したいので、保湿剤をたっぷり塗る

Feature of this book

3人のビューティエキスパートが「正しいスキンケア」の知識武装をサポート

正しいスキンケアをマスターするには、まず肌の基礎知識をおさえることが大切。本書では、皮膚科医・元化粧品開発者・栄養士の3人が、肌のしくみやお手入れの意味を解説しながら、悩みを解決する実践的テクニックを紹介していきます。

吉木伸子先生
Yoshiki Nobuko

大切な肌のためにも正しい知識を

みなさんの肌の悩みは何でしょう。乾燥、毛穴、シミ、……いろいろありますが、それぞれ肌のしくみをわかったうえでケアしていますか?

じつはトラブルの原因を理解して、きちんとケアできている人は少数派。でも大切な肌だからこそ、しっかり知識を身につけて正しくケアしたいですね。

この本には、ありきたりの美容情報ではない、肌の真実があります。きっと目からウロコの話もたくさんあると思います。楽しくお勉強して、今日から実践してみてください。肌に向き合ったぶんだけ、手ごたえがあるはずです。

肌の内と外から完璧スキンケアを指南！

元化粧品開発者

Okabe Miyoji

岡部美代治さん

Okabe Miyoji

運命の化粧品を見つける道しるべに

この本では、化粧品選びのポイントをお伝えしています。でも、本当に肌に合うスキンケア化粧品に出合うには、実際に自分の肌に使ってみて確かめるのが大切。いろいろ試しても、化粧品肌トラブルなどを起こすことはほぼないくらい、現在の化粧品技術は、安全性や機能の面で進化を遂げています。ぜひ自分の目と肌で、運命の化粧品を探し出してください。

栄養士

Oda Makiko

小田真規子さん（スタジオナッツ主宰）

Oda Makiko

食事の大切さを肌で感じて

私たちの体は、とても正直です。今の食生活に、栄養のバランスを少しでも考えて食品をプラスするだけで、体が軽くなったり気分が晴れやかになったりする変化がおとずれます。もちろん、肌にも効果は顕著に現れます。

体を大切に思いながら食生活を送ることが肌にとっていかに重要かを、この本でご理解いただけるとうれしいかぎりです。

Feature of this book

この本で根本から肌が変わります

ちょっと元気のない観葉植物は、土を入れ替えるなど土台からていねいにケアすると、イキイキとよみがえってきたりしますよね。肌もそれと同じ。本書では、肌の地盤から立て直す「基礎メンテナンス」と、肌悩みを個々に解決する「ピンポイントメンテナンス」の2段階アプローチをご提案します。

2段階アプローチで
よりたしかな
美肌効果を実感

Pinpoint

Base

［悩みの核心に迫る］
ピンポイントメンテナンス

肌が乾燥する、ニキビがなかなか治らない、シミをどうにかしたい、小ジワができてしまった、……。こういった具体的な肌悩みに対して、個別のケア方法をご紹介します。基礎メンテナンスと併せて、この２段階でアプローチすれば、よりたしかな効果を実感できるはず。もちろん、まずは基礎メンテナンスを読んでいただきたいのですが、どうしてもいっぺんにできない人は、ここから始めてもかまいません。

［肌の地盤から立て直す］
基礎メンテナンス

トラブルに負けない肌地盤をつくるには、肌のしくみにもとづいたスキンケアを行うことが大切。まずは、肌のしくみを学ぶことからスタートします。またスキンケアの要《かなめ》は、ズバリ「保湿」。これが正しくできれば、肌地盤は整っていくので、保湿の正確な意味や実践方法もお伝えします。ベースをしっかり固めるには、睡眠や食事など体の内側からのケアも不可欠。そのポイントもご紹介します。

最強の美肌へ

Contents

Bakery

Contents

Pinpoint

ピンポイントメンテナンス

毛穴…122

ニキビ…134

Contents

staff
写真撮影／渡辺秀一(人物・物撮影)、志津野 裕計(料理)　料理アシスタント／スタジオナッツ(青木恭子、田中聖子、清野絢子、岡本恵)
スタイリング／大沢早苗(人物・物)、スタジオナッツ鈴木千絵子(料理)　ヘアメイク／上野由可里(VANITES)
モデル／砂賀美希(Satoru Japan)　編集協力／佐藤亜矢子　執筆／長田和歌子
デザイン／佐藤智彦・井川鉄也(JA情報サービス)　イラスト／あらいのりこ　DTP／天龍社
撮影協力店／サラウェア、ドゥ・セー自由が丘

Base

基礎メンテナンス

Part 1

すべては肌を知ることから

肌のしくみがわかると もっともっと 肌はきれいになる！

肌ってどうなっていると思いますか？　毎日スキンケアをしていても、じつはあまり肌のしくみについて考えたことなどなかった人も多いのではないでしょうか。ただ漠然と1枚の皮のようなイメージをもっている人もいるかもしれません。

でも、肌の中がどうなっているか知っておくと、化粧品が肌のどの部分に効くのか、どう効いていくのか……という働きがわかってきます。すると、化粧品選びがおのずと上手になるのです。まずはこの肌のしくみを知ることが、美肌への第一歩。

この章では、3人の美肌スペシャリストがわかりやすく、ていねいに肌の常識をひもときます。

about surface

ツルンとした素肌をつくるのがキメ

肌表面にある網目模様が規則正しいのが「美肌」

皮膚科医

手の甲をよく見ると、網目模様のような凹凸のあることがわかります。肌には、細かく溝が走っていて、三角形や四角形の模様が浮き出て見えます。この溝が皮溝《ひこう》、三角形などの模様部分が皮丘《ひきゅう》と呼ばれています。この模様がくっきりと規則正しく並んでいて、かつ三角形や四角形のひとつひとつが小さい肌は、キメ（肌理）が整っている肌です。

模様がきれいに並ぶと、肌表面がツルンとして見えるだけでなく、透明感が増すという

キメって何？

肌の表面に走る溝「皮溝」、その溝に囲まれ盛り上がっている部分「皮丘」によって生じた凹凸のこと

うれしい効果も！　さらに、多くの光を取り込んで反射してくれるので、キラキラと輝いて見えたり、ファンデーションののりがよくなったりなどの効果もあります。

キメの細かさは何で決まる？

「キメが細かいほど肌は美しい」。そんな言葉を耳にしたことはありませんか？　では、キメが細かい肌とは、どういう状態なのでしょう。それは、皮溝が深くて細く、はっきりしている場合のこと。肌表面の質感がなめらかなのが特徴です。

一方、皮溝が浅く広くなる、ふぞろいになる、皮溝と皮溝の交差点にある毛穴が大きくなると、肌表面はザラッとして、いわゆるキメが粗い状態に。布地でもキメの細かい絹はなめらかですが、粗い麻はザラッとしていますよね。肌も同じなのです。

キメの細かさは、遺伝もありますが、もともと日本人は、欧米人に比べてキメが細かいほうなのです。

キメは肌の奥からの肌再生リズムを反映しますから、化粧品だけで手っ取り早く整えることはできません。体の内側からのケアで、肌の代謝を上げることも肝心です

どんなキメが理想的？

乱れている　ガタガタ

皮丘と皮溝のバランスが乱れ、網目状態が失われている。

粗い

皮溝が浅くて太い状態なので、肌表面に凹凸が目立つ。皮丘は弾力を失ってハリがなくなり、毛穴も目立つ。

麻のようなザラザラ肌

整っている　整列！

皮丘と皮溝によって形成される三角形や四角形の網目が均一で規則正しく並んでいる。

細かい

皮溝が深く細い状態なので、肌表面に凹凸が少ない。皮丘に弾力性があって適度に盛り上がり、毛穴もあまり目立たない。

絹のようなすべすべ肌

about inside

スキンケアのメインステージ「表皮」と「真皮」

2つの特徴的な「層」が肌を守っている

皮膚科医

皮膚は1枚の単純な膜のように見えますね。でも実際は、上から表皮、真皮、皮下組織の3つの層でできています。なかでもスキンケアのメインとなるのが「表皮」と「真皮」。まずはこの2つの組織構造を知ることから始めましょう。

皮膚の表面にある「表皮」の主《おも》な働きは、保護作用。肌を通して外からの刺激などが体

内に入らないように守ったり、万一、異物が入ってきたときにその情報を神経に伝えたりする、とても大切な働きを担っています。また体内の水分が蒸発するのを防ぎ、肌のうるおいを保つ役割も担っています。

表皮の下にある「真皮」の主な働きは、クッションのように肌の弾力やハリを保つこと。ふっくらと立体的な肌をつくる役割を担っています。加齢などによって真皮の働きが低下すると、肌を支えることができなくなり、シワやたるみが生じる原因になります。

それぞれこのように表皮と真皮には、肌を健康に美しく保つ働きがあります。

表皮と真皮を合わせても、その厚さはわずか約2㎜。「お手入れはやさしく」といわれるのは、薄い膜を傷つけないためなのです

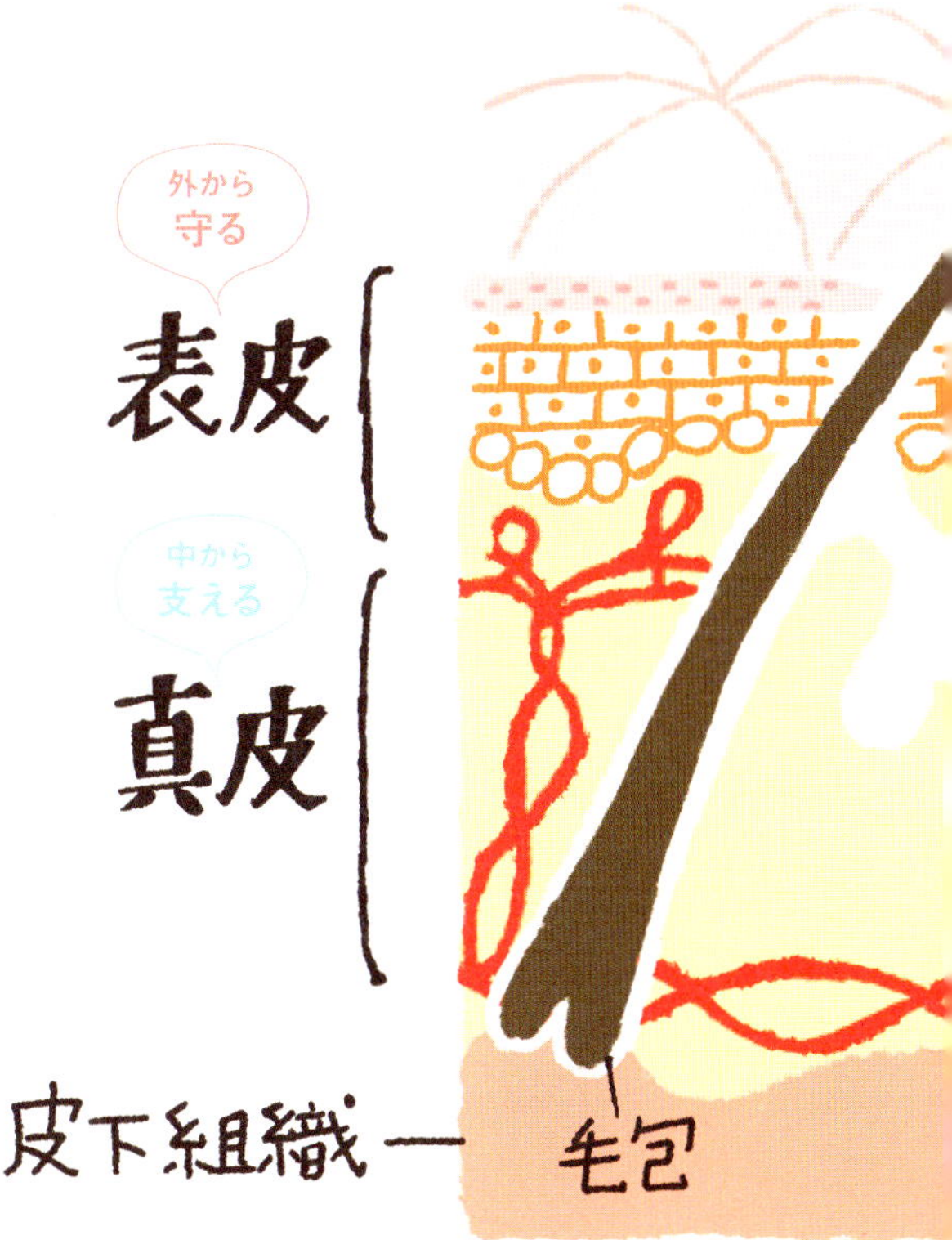

表皮と真皮の役割は次ページでくわしくチェックしましょう

表皮と真皮、それぞれの役割

うるおいを保ちながら肌のすこやかさと美しさを守る

表皮

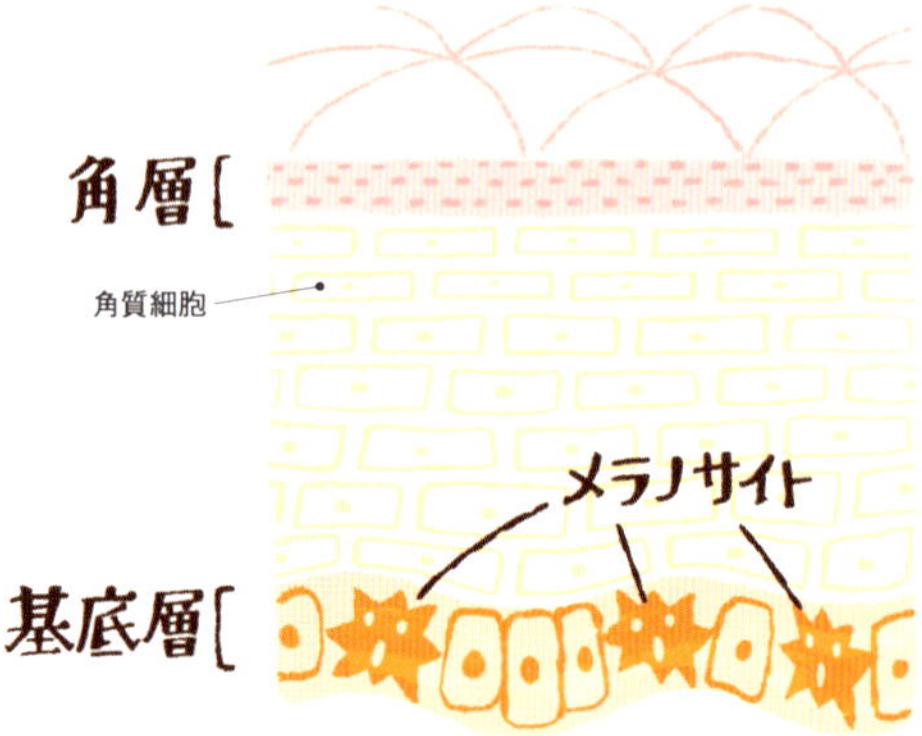

皮膚のいちばん上にある表皮。「角層」と「角層以下の表皮」とで構成されていて、それぞれにきちんとした役割があります。

●角層は、外敵から身を守るシャッター

角質細胞がレンガ状に約20層（顔の場合）積み重なってできている層です。水分を約20～30％含んでいます。ラップと同じくらいのわずか0・02㎜の薄さながら、肌に触れる外からの刺激などが体内に入らないよう守ったり、肌内部の水分が蒸発しないように守ったりと、いわばシャッターのような

表皮の下で、ふっくらとした肌の土台を築く

真皮

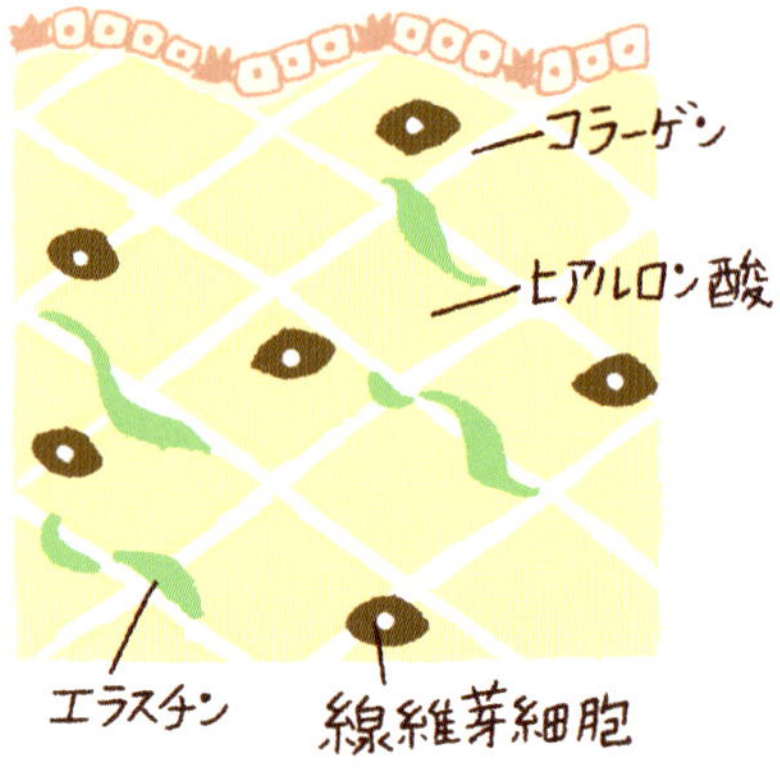

基底膜をはさんだ表皮の下にある、肌の土台のようなもの。主な役割は、肌の弾力を保ち、真皮内にある毛細血管が栄養と酸素を肌のすみずみまで届けることです。

●コラーゲンは、肌の主要な成分

丈夫なたんぱく質からできた線維で、水分を除けば真皮の約70％を占める主要成分です。真皮の中に網目状のネットワークをつくることで弾力をキープ。シワやたるみは、このコラーゲンの減少や変性によって肌の弾力が失われることが主な原因。

働きをしています。

●角層以下の表皮は、肌の生産工場

真皮との境目にある「基底層」で生まれた表皮細胞が、しだいに角質細胞になるための準備をしています。お互いの細胞はしっかりとくっついて、角層とともに伸びても破れないような丈夫な構造をつくっています。そのほかにも外的刺激から肌を守る免疫細胞や、紫外線から表皮細胞を守るためのメラニン色素をつくりだすメラノサイトも含まれています。摩擦などの物理的刺激や化学的刺激、光学的刺激を総合的に防御する重要な働きをもつところです。

角質細胞はよくレンガにたとえられますが、実際にはシート状の薄い膜が重なってできています

●エラスチンは、コラーゲンをつなぐ線維

ゴムのような弾力のある線維でコラーゲンのところどころをつなぎ止めるように支えています。水分を除いた真皮の5％前後を占めるものですが、年齢とともに減ってしまい、これもシワやたるみの原因に。

●ヒアルロン酸は、すき間を埋めるゼリー

コラーゲンやエラスチンでつくられた網状構造のすき間を埋め尽くすゼリー状の物質。ゼリー状なので弾力もあり、真皮の構造を安定して保ちます。このヒアルロン酸は水分維持力が高く、化粧品では保湿成分として配合されています。

コラーゲンはベッドのスプリング、エラスチンはスプリングをつなぎ止める部分、ヒアルロン酸はスポンジ部分にたとえることができます

表皮と真皮、どっちが大事？

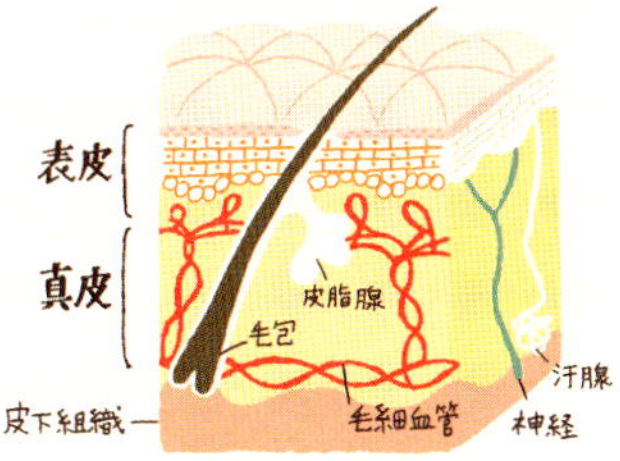

表皮、真皮はそれぞれに重要な働きをしていますが、単独で働いているわけではありません。お互いに連係プレーを行っているのです。

たとえば、真皮にダメージが及ぶと、すこやかな表皮は育まれなくなってしまいます。逆に表皮の働きが悪くても、真皮にダメージを与えてしまうことに。

お互いがとても大切な働きをしているため、どちらか一方だけが大事というわけではありません。表皮、真皮ともに健全な状態に整えておくことが重要なのです。

ゆるぎない美しさには5つの肌体力がマスト

肌体力 1

「ターンオーバー」でつねに新鮮な肌を引き出す産生力

生まれ変わる

定期的に入れ替わることですこやかさをキープ！

角層以下の表皮は、肌の生産工場だとお話しました。じつは、この部分で肌をつくる細胞が生まれ、そして次々に入れ替わっていっているのです。これを「ターンオーバー」と呼びます。

表皮のいちばん下にある基底層で新しい細胞が生まれ、28日くらいかけて角層へと上がっていき、最後は垢《あか》となってはがれ落ちるというサイクルがターンオーバー。たとえ表皮が傷ついたり、乾燥したり、日焼けしたりしても、細胞が絶えず入れ替わっているので、すこやかな状態に戻せるようになっています。

ところが、年齢を重ねるにつれターンオーバーは遅くなり、40代になると約40日かかるといわれています。傷の治りが遅くなったり、シミができやすくなったりするのはそのため。

その逆に、病気などでターンオーバーが早まりすぎると、皮がむけることもあります。

ターンオーバーが早くても遅くても、肌は美しくなりません。健康な角質細胞をしっかりつくり出せるよう一定のサイクルを保つことが、美肌への第一歩なのです。

肌体力なし

28日よりかなり遅くなる

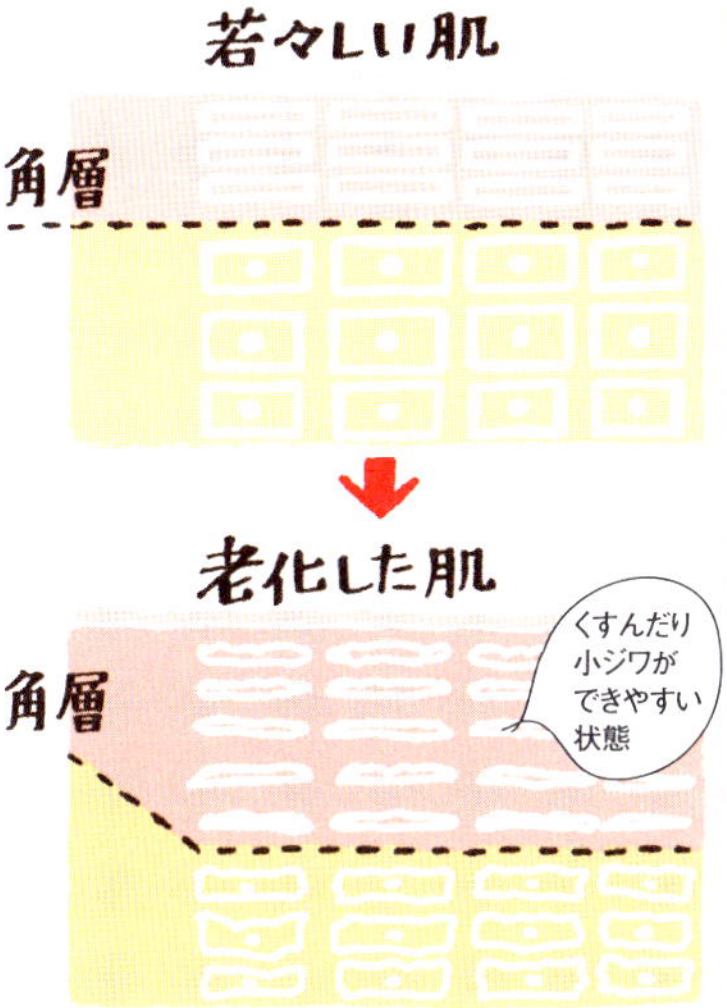

角層は加齢などによってターンオーバーが遅くなると厚くなり、逆に角層以下の表皮は薄くなる。すると肌がくすむ、硬くなる、乾燥がなかなか治らない、小ジワができるといった肌トラブルにつながる。

ターンオーバーのサイクルを低下させないために、余分な角質をためないことが大切です

肌体力あり

ターンオーバーが約28日周期で行われる

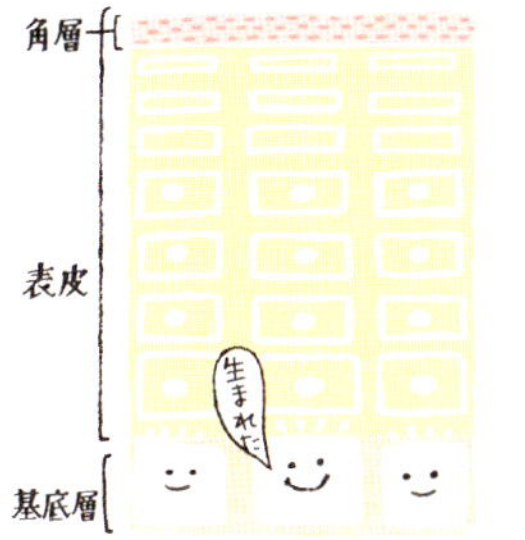

1 基底層で「表皮細胞」が生まれる。

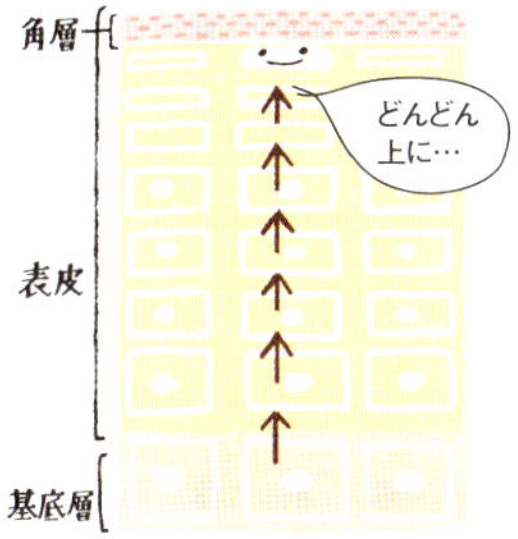

2 上へ上へと押し上げられていき、「角質細胞」になる。

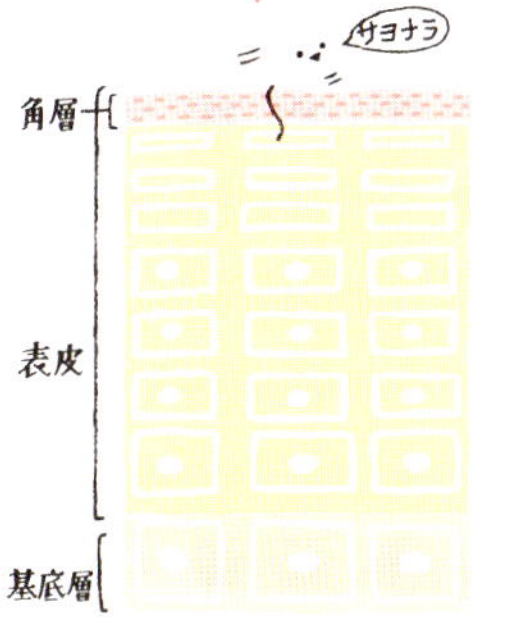

3 「垢」となってはがれ落ちる。

肌体力

2 守る

「バリア機能」ですこやかさとうるおいを守り抜く防御力

わずか0・02㎜の角層が外的刺激から肌を守る

お風呂につかっても、お湯が肌内にどんどん入っていかないのは、どうしてだと思いますか？　それは、肌表面に「バリア機能」が働いているから。海に入って塩漬けにならないのも、このバリア機能のおかげです。

バリア機能の働きを担っているのは、表皮のいちばん上にある角層です。角層は厚みわずか0・02㎜ほどの非常に薄い膜ですが、その構造に秘密があります。

顔の場合、角層は約20層の細胞が積み重なっています。そのすき間をセラミドなどの「角質細胞間脂質」がぴったりと埋めています。たとえていえば、レンガ（角質細胞）が幾重にも重なり、それぞれのすき間をセメント（セラミド）が埋めているような状態です。

こうした細胞どうしをぴったり密着させる構造によって、水や異物が肌の中に入り込むのを防ぐという、重要な働きをしているのです。これが「バリア機能」です。バリア機能が弱まると、外からの刺激を受けやすくなり、肌あれの原因になります。

「内側から湧きあがる肌のうるおい」も守る

バリア機能には、もう一つ大きな働きがあります。それは、肌の内側から湧き出る水分を角層に蓄えておくことです。

健康な角層は、約20〜30％の水分を含んでいます。それは、主に肌がみずからつくり出すセラミドなどの保湿物質によって維持されています。セラミドは単に細胞どうしをくっつける役目だけでなく、保湿物質として大きな役割を担っていたのです。

ところがセラミドをつくり出す力が弱まると、角層の水分は蒸発。ついには肌内部のうるおいまで失われてしまうのです。

正常なバリア機能を保つには、肌内部でセラミドなどの保湿物質がきちんと働いていることが不可欠。そのカギは、正しい保湿にあります（くわしくは次章参照）。

肌体力あり

角層のバリア機能がきちんと働く

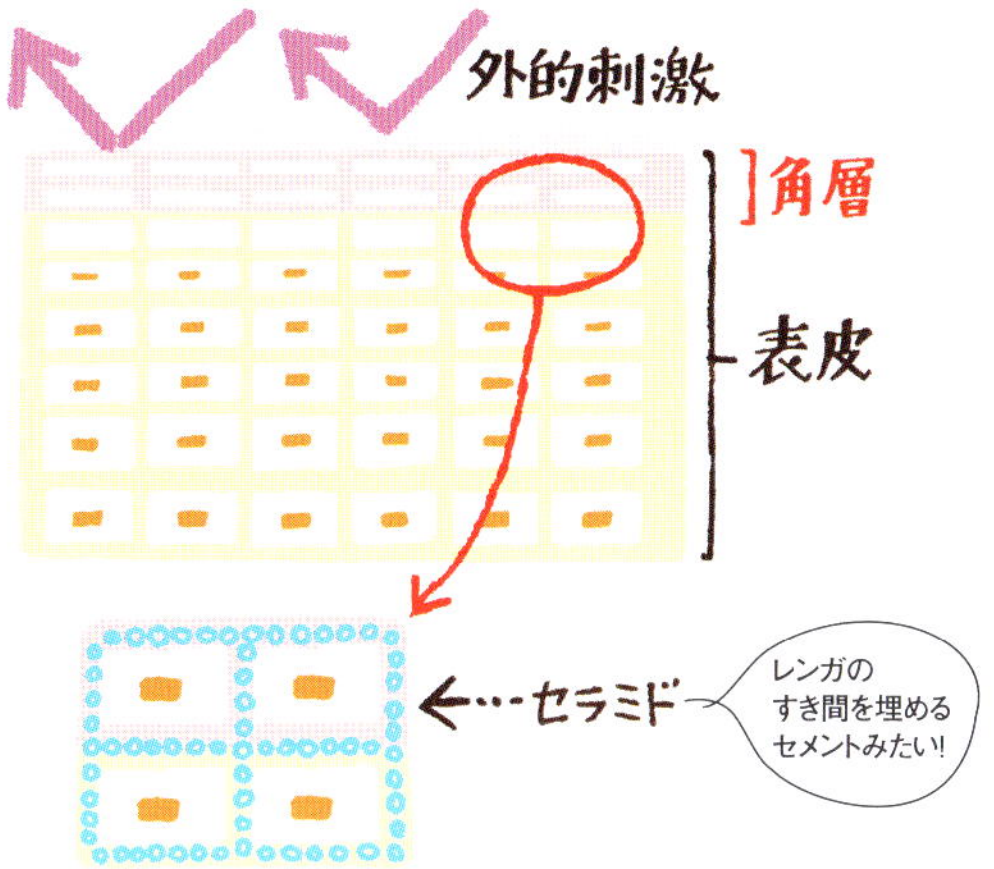

健康な角層には、セラミドなどの角質細胞間脂質が充分にあり、角質細胞をしっかりつなぎ止めている。このように細胞がすき間なく積み重なった状態では、バリア機能が保たれ、外からの刺激をシャットアウトできる。

肌体力なし

バリア機能が弱まり肌が敏感になる

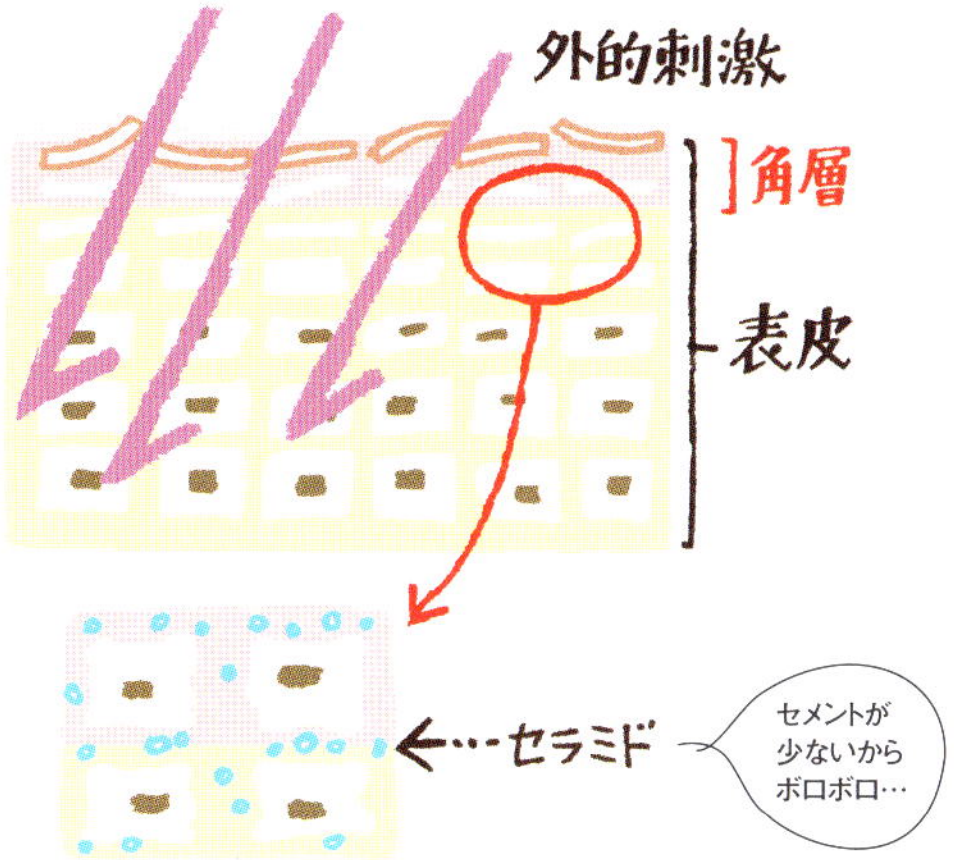

セラミドなどの角質細胞間脂質が減ると、角質細胞がぐらついてしまい、一部がはがれ落ちたりする。角質細胞が脱落すれば、当然そこはバリア機能が弱まり、外からの刺激を受けやすくなる。

保湿物質が不足するとバリア機能は失われ、肌は乾燥して、かゆみやヒリヒリ感を生じるなどの敏感な状態になります

肌体力

3 育み守る

新しい肌細胞を生み出す「基底層」の生命力

表皮と真皮、両方に影響力をもつ基底層

表皮の中でいちばんの働きものが、「基底層」です。薄いシートのような形状ながら、いくつもの働きを受けもっています。

なかでもとくに重要なのが、表皮の細胞をつくる工場としての役割。まず毛細血管から栄養分と酸素が供給され、基底層にある「基底細胞」が必要に応じて細胞分裂します。そして新しい表皮細胞がつくられ、ターンオーバーのスタート地点になっているのです。

さらに、真皮を守るという重要な働きも担っています。なぜ重要かというと、表皮がダメージを受けても、ターンオーバーしているので元に戻りますが、ダメージが真皮にまで及んでしまうと、完全には元に戻らなくなってしまうから。そのため、基底層は基底膜と一体になって強い膜のようになり、真皮の線維にも結合して、真皮を強力に守っているのです。

また、基底層には、シミのもととなるメラニンを生成するメラノサイトもあります。なぜ表皮と真皮の境目にあるかというと、真皮に紫外線が届かないようにメラニンをつくってカーテンのようにブロックしているのです。

基底膜が衰えるとシミができやすくなる！

加齢とともに基底膜は衰えて弱くなるので、メラニンがその下の真皮まで落ちてしまうこともあります。落ちたメラニンは、頑固なシミとなって残ってしまうことに。同じだけ紫外線を浴びていたとしても、若いころよりもだんだんとシミができやすくなるのは、これが一因でもあるのです。

過度なダイエットなどでたんぱく質などの栄養源が不足したり、血行不良を起こしたりしている場合は、基底層の細胞にうまく栄養と酸素が行き渡らず、ターンオーバーが妨げられます。規則正しい生活、食事、正しいスキンケアで、すこやかな状態をキープしたいものです。

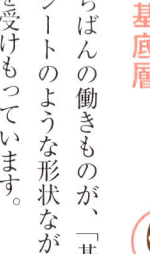

肌体力あり

新しい表皮細胞を生み出す

表皮と真皮の境目にある「基底層」は、新しい表皮細胞を生み出す工場のようなところ。血液から栄養分と酸素を受け取って、新しい細胞をつくり出す。

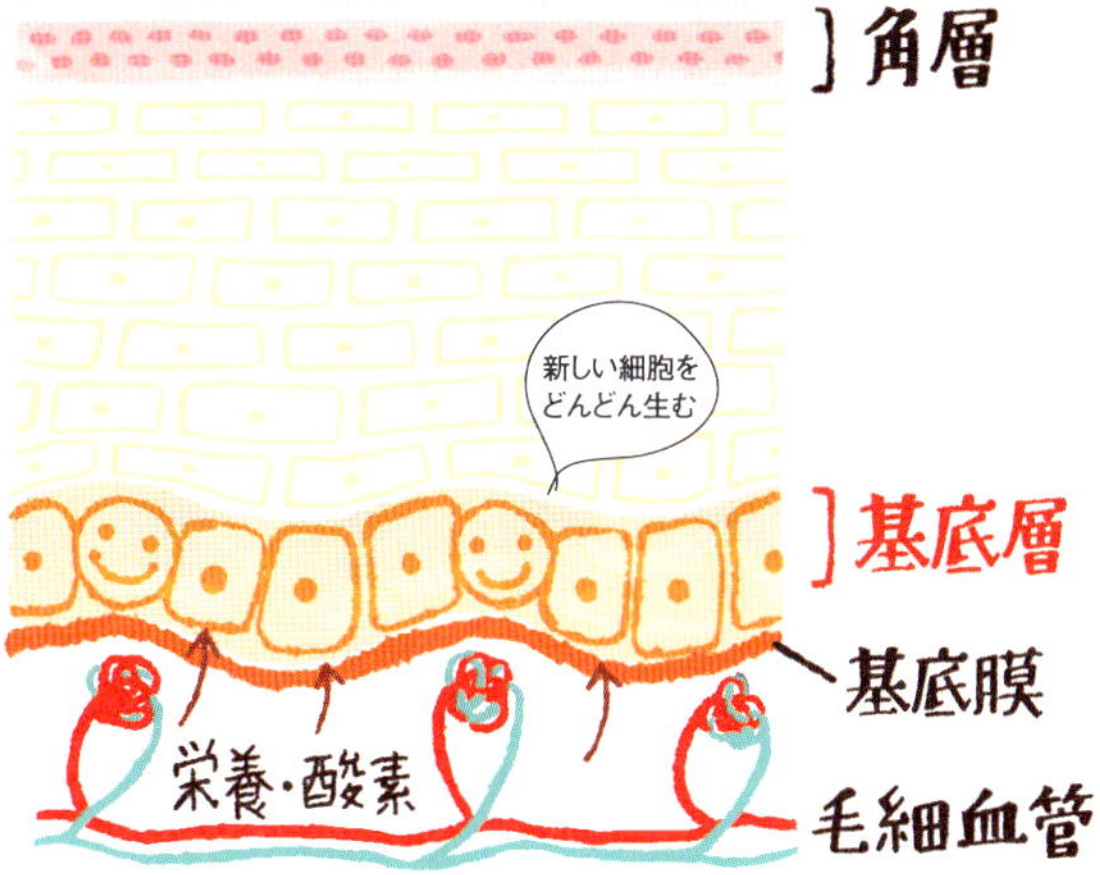

肌体力あり

メラニンをつくって真皮を守る

「基底層」は、真皮にダメージが及ぶのを防ぐ役割も担っている。真皮に紫外線が届かないように、メラニンをつくり出して黒いカーテンを引くようにブロックしている。

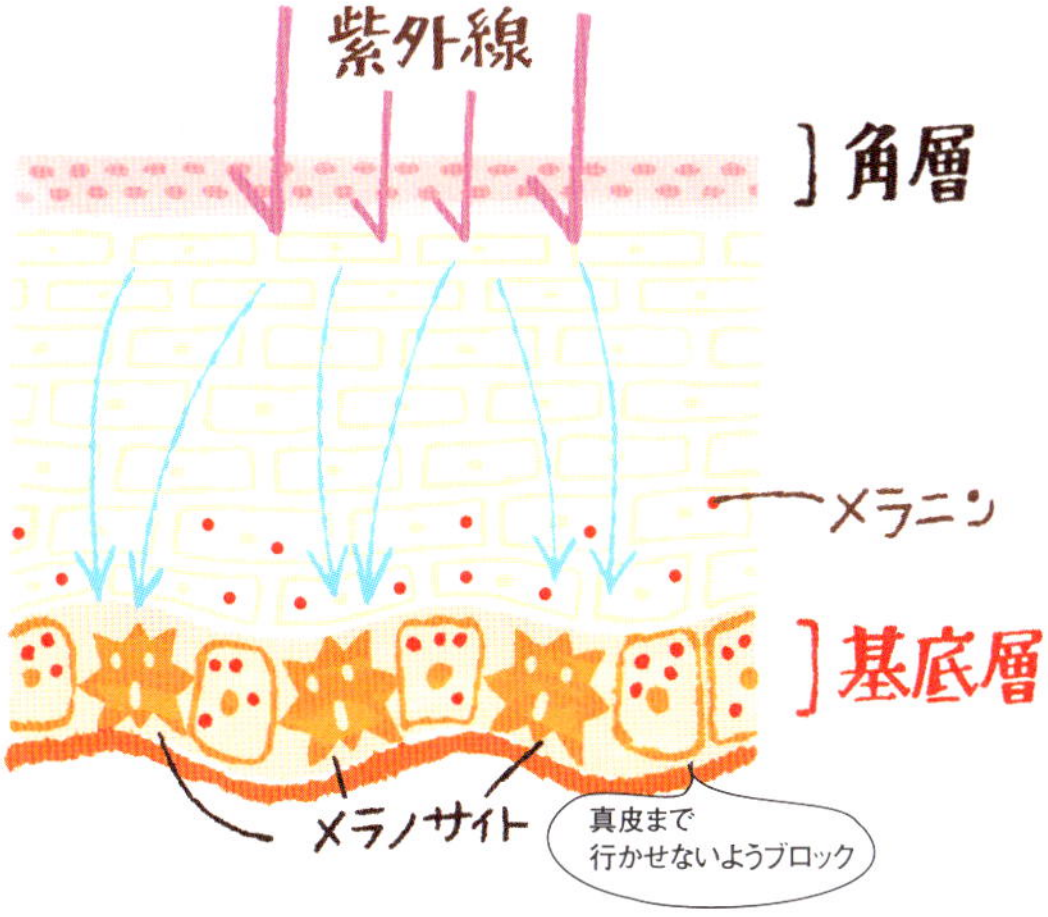

肌トラブルや炎症を起こすと、基底膜が壊れるおそれがあります。トラブルは早く治し、真皮へのダメージを受けにくい状態に

肌体力

ハリや弾力をつかさどる「線維芽細胞」の活力

4 若さを保つ

真皮を生み出す母「線維芽細胞」って？

水分を除いた真皮の約70％は、コラーゲンと呼ばれる線維が占めています。このコラーゲンをジョイントしているのが、もう一つの線維であるエラスチンです。そして、コラーゲンとエラスチンの骨組みのあいだを埋めているのが、ヒアルロン酸などのゼリー状の物質になります。

これらコラーゲンやエラスチン、ヒアルロン酸などの、真皮を構成している成分を生み出し、母のような役割を果たしているのが、線維芽細胞なのです。

シワ・たるみ予防のカギは線維芽細胞にある

若いうちにパンとしたハリのある肌がキープできるのは、線維芽細胞がコラーゲンやエラスチン、ヒアルロン酸などを順調に生み出しているから。けれど年齢とともに線維芽細胞は、減ったり、働きが衰えたりします。そのため、年を重ねるにつれてハリや弾力がなくなってきたと実感するのです。

実感したときは、すでに真皮内で線維芽細胞が衰えている状態。それはすなわち、コラーゲンやエラスチン、ヒアルロン酸などを生み出す能力が低下していることになります。

さらに、紫外線や酸化※1、糖化※2などの影響によっても、コラーゲンやエラスチンが変成し、シワやたるみは加速してしまいます。

しっかりとしたハリや弾力をキープするためには、日ごろからきちんと紫外線対策をしたり、線維芽細胞を元気にするアンチエイジング化粧品を使ったりして予防ケアを行うことが肝心です。

線維芽細胞の活力をアップさせて、いつまでも若々しく、ハリのある肌をめざしましょう！

※1　酸化／体内に老化の原因となる「活性酸素」が発生し、細胞膜などを酸化させていく。すると細胞の機能が低下し、くすみ、肌あれ、たるみといった肌の老化を引き起こす。

※2　糖化／真皮にあるコラーゲンやエラスチンなどの「たんぱく質」と、体内にある「糖」とが結びつくことで、老化たんぱく質がつくられ、体内に蓄積してしまうこと。進行すると肌だけでなく、体全体が老化していく。

肌体力あり

線維芽細胞が活発に働き ハリや弾力をキープ

真皮に存在する線維芽細胞は、肌のハリや弾力のもととなるコラーゲンやエラスチン、ヒアルロン酸などを生み出している。肌内部からハリや弾力が感じられるのは、この線維芽細胞が活発に働いている証拠。

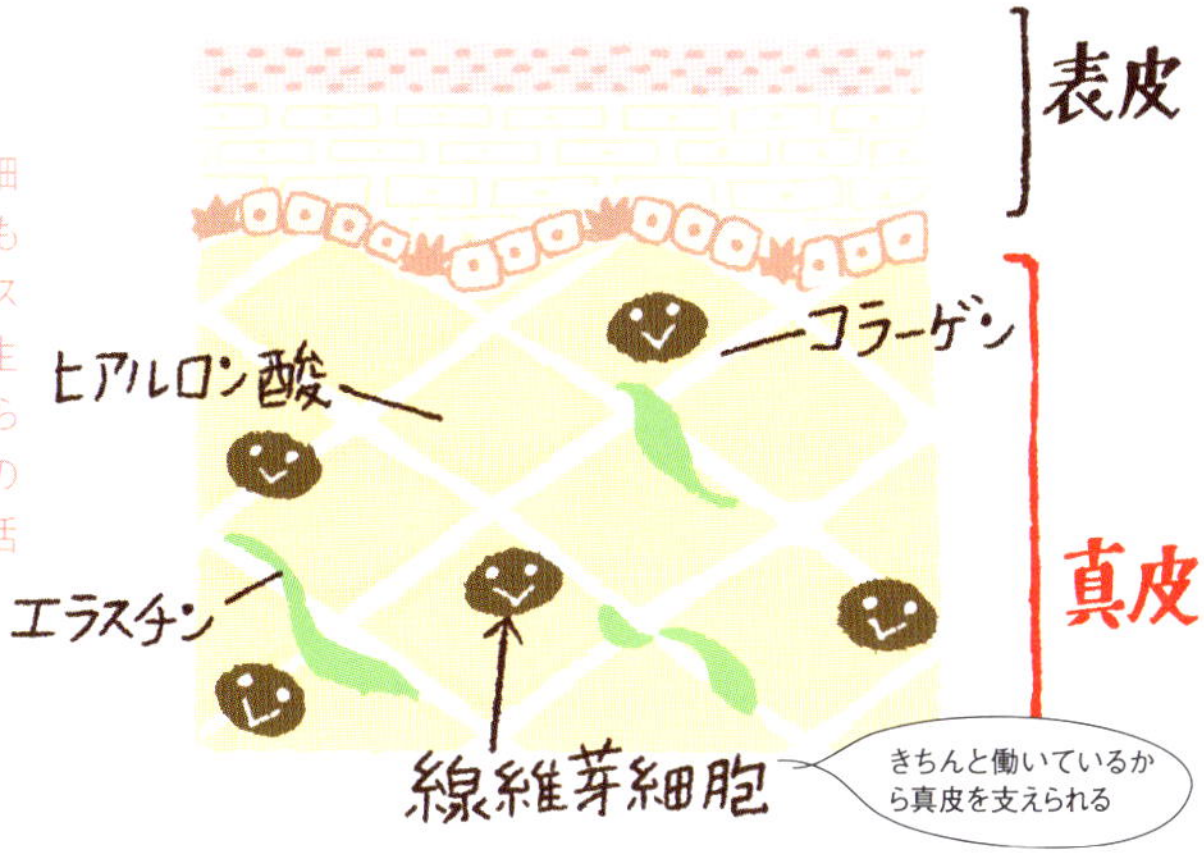

肌体力なし

線維芽細胞が衰えて シワやたるみの原因に

紫外線や年齢の影響で、線維芽細胞の数が減ったり働きが衰えたりすると、コラーゲンやエラスチンなどが生み出されなくなる。そうなると、真皮は古くなったゴムのように弾力を失い、表皮を支えきれなくなる。これがシワやたるみの原因。

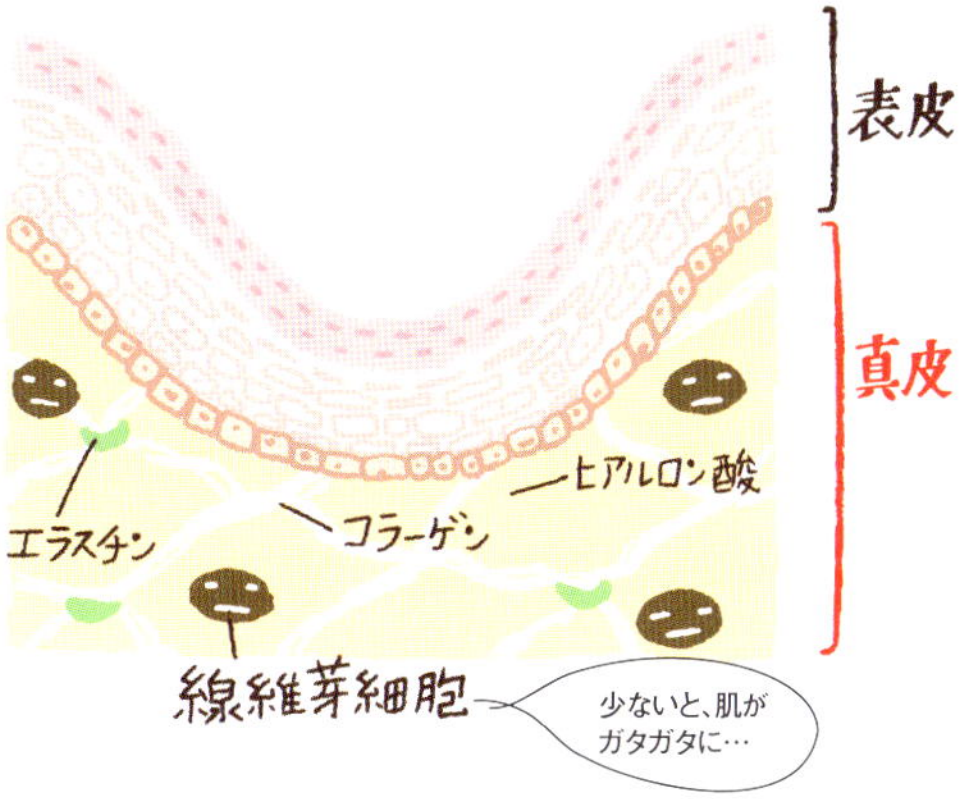

線維芽細胞は、若々しい肌を保つカギです。アンチエイジング化粧品には、たいていこの線維芽細胞の働きを活性化する成分が配合されているんです

肌体力

5 運ぶ

肌に酸素や栄養を送る「毛細血管」のネットワーク力

血管は、肌に息吹を与える命のパイプライン

肌も植物同様、すこやかに育むためには、栄養や酸素が必要です。では、この栄養や酸素はいったいどこから、どうやって運ばれてくるのでしょうか？

それは、肌の内側に網目のように張りめぐらされている血管の役目なのです。

血管は、真皮に位置していて、深いところが太く、表皮に向かって上がってくるにつれ、細くなっていきます。この細く派生している血管が、いわゆる毛細血管です。

毛細血管の２つの大きな役割は、栄養と酸素を運ぶこと、そして二酸化炭素と老廃物を回収してくること。細胞は新鮮な酸素と栄養がなければ生きていけません。そのため、血行不良になると、酸素や栄養が肌のすみずみに充分に行き届かなくなるうえ、老廃物がたまってしまうため、肌がくすんだり、乾燥したりするのです。

そのほか老廃物を含むリンパ液は、リンパ管から吸収されてつねにリフレッシュされています。日ごろ、マッサージや運動が大事といわれる理由はそこにあります。現代人は、喫煙や睡眠不足、ストレスなどに囲まれ、血行が悪くなりやすいのです。だからこそ、意識的に血流を促進するケアや生活習慣を身につけることが必要といえます。

肌に息吹きを与える、いわば命のパイプラインである毛細血管の力を維持することが、美肌へとつながっていくのです。

運ばれてくる栄養が充足していることも肝心

毛細血管を通して肌のすみずみまで栄養が運ばれるのですが、運ばれてくる栄養そのものが不足していればすこやかな肌は維持できません。無理なダイエットで栄養が偏ることも、吹き出物や肌あれの原因になります。食事により、肌に必要な栄養を適正量でバランスよくとることも大切です。

本当のスキンケアは、食生活を見直すことも含まれるのです。

肌体力あり

毛細血管の流れがスムーズで肌に栄養と酸素が行き届く

すこやかな肌では、毛細血管を通じて肌のすみずみに酸素や栄養が届けられる。また二酸化炭素などの老廃物もスムーズに排せつされる。

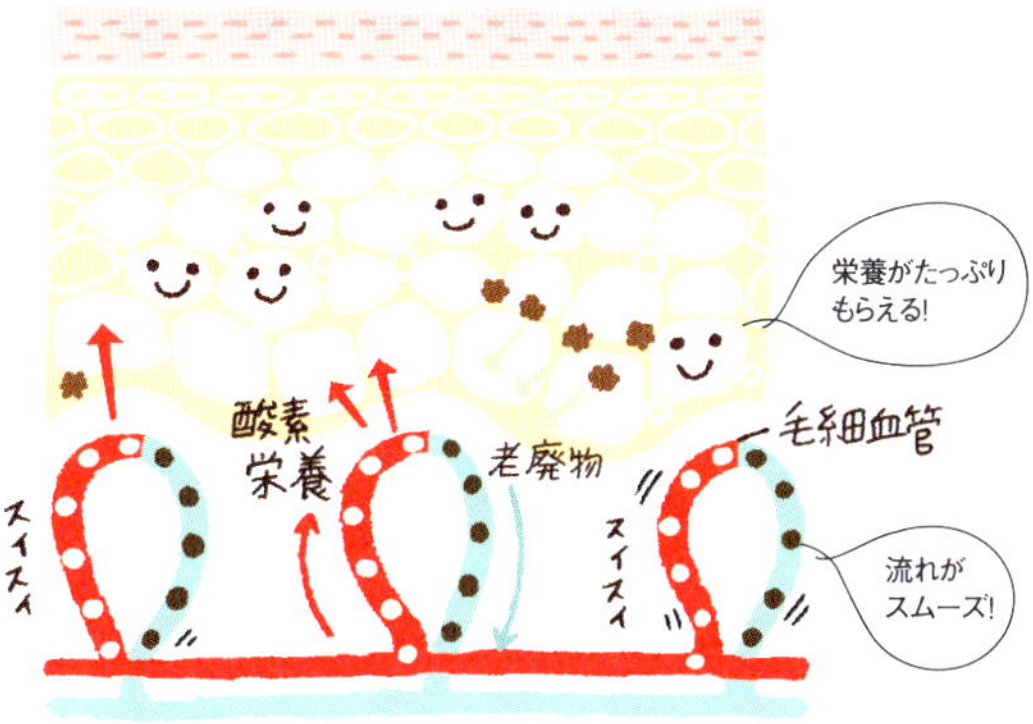

肌体力なし

流れが停滞するとくすみや乾燥などの肌トラブルを招く

毛細血管の流れが滞ると、酸素や栄養が充分に行き届かなくなるうえ、二酸化炭素などの老廃物がたまってしまうため、肌がくすんだり乾燥したりする。

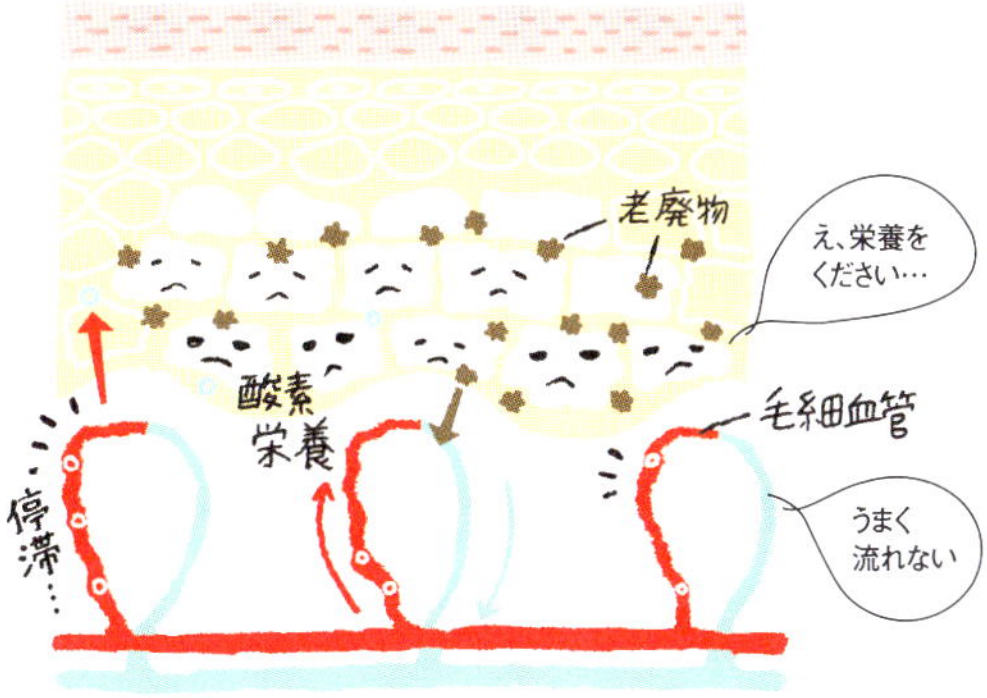

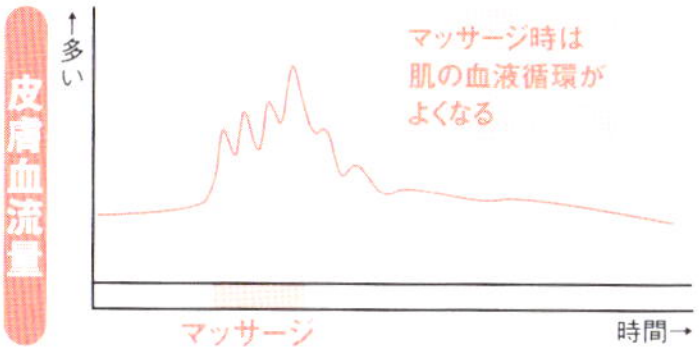

このグラフを見てもわかるように、マッサージは血液循環を促します。マッサージを毎日継続するのは難しいと思われがちですが、美容液やクリームなどの化粧品を肌になじませる日々の行為を、マッサージの一種だと考えればいいのです。

基礎メンテナンス

Part 2

スキンケアの要
「保湿」をおさらい

正しい保湿で トラブルに負けない 肌土台をつくる

肌のうるおいが失われると、バリア機能が低下し、肌あれや老化の原因になります。つまり保湿こそが、スキンケアの要といえます。

しかし、これまで常識とされてきた化粧水をたっぷりつける保湿は、いわばその場限りの応急処置のようなもの。一時的にしっとりしても、時間がたてばすぐに乾燥してしまいます。きちんと肌をうるおすには、ただ水分を入れるだけの保湿ではなく、肌そのものを乾燥しにくい状態に導く根本ケアが不可欠なのです。

そこでこの章では、保湿の意味やしくみを徹底的におさらい。しっかりマスターして、トラブルに負けないすこやかな肌土台をつくりましょう。

about moisture retention

保湿した〝つもり〟になっていませんか？

保湿の正しい意味とは

保湿とは、文字どおり〝湿気を保つこと〟。つまり肌の水分を適度に維持するためのスキンケアのことです。「なんで今さらそんなことを？」という人もいらっしゃるかもしれませんが、じつは保湿の意味を正しく理解している人は非常に少ないのです。

健康な肌の角層には約20～30％の水分が含まれていますが、これが20％以下になることを「乾燥肌」といいます。冬場など空気中の湿度が50％以下になると、角層の水分が急激に蒸発しやすくなります。肌がつっぱるなどの自覚症状が現れてきたときには、肌の水分量はわずか10％以下になっていることも。肌から水分がなくならないようにするのが保湿の役割です。

ただし前章のバリア機能（P24参照）のところでも少し述べたとおり、人間の肌にはもともと水分を維持するしくみが備わっています。その機能は加齢とともに低下するので、それを補ってあげるのが、保湿の目的です。

「化粧水＝保湿」という常識は一度捨てましょう

皮膚科医

肌の水分といえば化粧水と思われがちなのですが、水そのものを与えても蒸発してしまうので保湿にはなりません。また化粧水が蒸発しないよう乳液でフタをすれば保湿は万全だと考えている人も多いのですが、残念ながらそれも間違い。じつは、油分の保湿力はさほど高くありません（P43参照）。

本当の保湿とは、体の外から水分を取り入れるのではなく、体の内側から湧き出る水分を肌の中で保つようサポートすること。

左は、皮膚科学的にみるとポイントのずれた保湿です。それにもかかわらず、多くの女性が正しいと思い込みながら実践しています。あなたも間違った常識に振り回されていませんか？

保湿に対する間違った常識

肌がカサつくときは**化粧水をたっぷり**つける

化粧水は**シートマスク**で肌に**じっくり浸透**させるべし

化粧水が**蒸発しない**ように**油分**で**フタ**

テカリ・ニキビ肌なので保湿は省略してもよい

肌のうるおいを**逃がさない**ように**洗顔料**は**しっとりタイプ**を選ぶ

about moisture retention

そもそも「肌がうるおう」って？

肌のうるおいを左右する「保湿物質」の働き

うるおった肌は、正しい保湿ができている証《あかし》です。では、肌がうるおうとは、そもそもどのような状態をさすのでしょうか。

それは肌がみずから「保湿物質」をつくり、角層内に水分を蓄えておける状態のこと。保湿物質がきちんと働いていれば、湿度が0％になっても水分は蒸発しません。保湿物質をつくる力が弱まると、肌は乾燥するのです。

保湿力ナンバーワンはセラミド

角層の水分を守っている保湿物質には、じ

肌のうるおいを保つカギを握る「セラミド」

角層の水分保持を担う割合

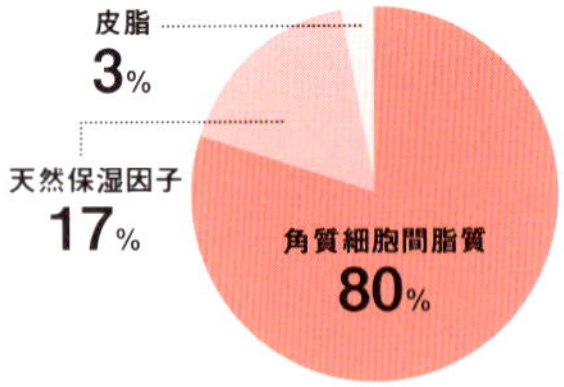

セラミドは水分をはさむからうるおう

水分をサンドイッチ状にはさみ込む性質をもつ保湿物質。水分を一度つかまえると、湿度が0%になっても蒸発させない。

つは「皮脂」「天然保湿因子」「セラミドなどの角質細胞間脂質」の3つがあります。これらが助け合いながら、水分をキープしているのです。

角層の水分のうち80%以上はセラミドなどの角質細胞間脂質が、16〜17%は天然保湿因子が守っています。皮脂の果たす役割は2〜3%と非常に小さく、水分を守る力はあまりありません。セラミドなどの角質細胞間脂質が、肌の水分を守る最大のカギといえます。

本来、脂質は水とは結合しません。しかし、セラミドは水と結合し、その水は湿度が0%になっても蒸発せず、気温がマイナス20℃まで下がっても凍らない性質をもっています。セラミドは、あらゆる環境に対応する、まさに保湿のスペシャリストなのです。

つまりセラミドをたっぷり含んだ肌は、うるおいに満ちているということになります。赤ちゃんの肌は、うるおいたっぷりのプルプル肌ですよね。じつはこれ、大人の肌に比べてセラミドの量が豊富だからなのです。

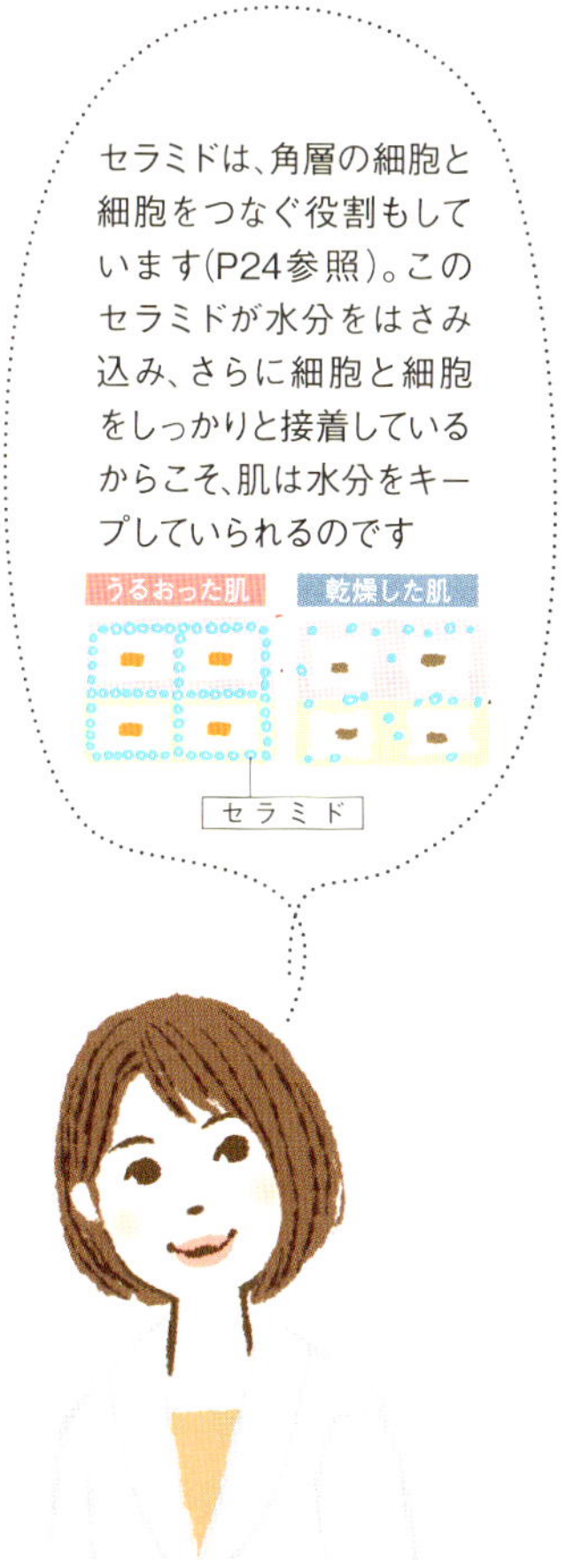
セラミドは、角層の細胞と細胞をつなぐ役割もしています(P24参照)。このセラミドが水分をはさみ込み、さらに細胞と細胞をしっかりと接着しているからこそ、肌は水分をキープしていられるのです
うるおった肌
乾燥した肌
セラミド

角質細胞
角質細胞間脂質
水分
内側からくる水分をキープ!

保湿の決め手はセラミド配合化粧品

不足しがちなセラミドは化粧品で補える

角層の中でパワフルな水分保持力を発揮するセラミドですが、残念ながら年を重ねるごとに減ってしまいます。肌の新陳代謝の過程でつくられるものなので、代謝が活発な赤ちゃん時代がもっとも多く、それ以降は低下し続けるのです。

セラミドはコレステロールのようなものからつくられていますが、コレステロールを食事からとっても、また、じかにセラミドを飲んでもセラミドは増やせません。加齢で減っていくセラミドを体の中からつくり出すことは、とても困難です。

角層の水分量の変化

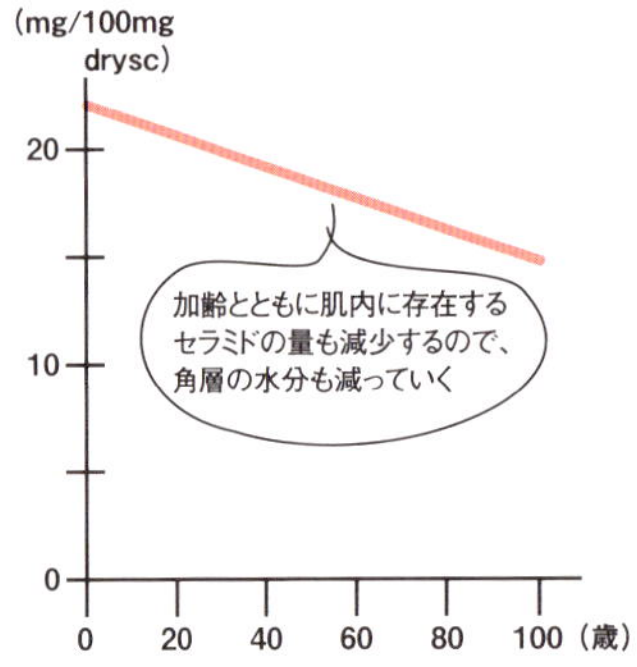

そこで簡単にセラミドを補えるよう開発されたのが、セラミド配合の化粧品です。これを使えば、確実に肌の水分を増やすことができます。

乾燥知らずのすこやかな美肌には、セラミド配合化粧品が必須だと覚えておいてください。

セラミド化粧品はどうやって選ぶ？

皮膚科医

セラミドは水溶性の物質ではないので、化粧水ではなく、美容液や乳液に配合されています。セラミドと一口にいっても、さまざまな種類があり、選ぶときに注意が必要です。最近では、植物由来のものなど、いろいろなセラミドが出回っています。「植物由来」というと、肌にやさしいというイメージがありますが、何よりも大事なのは人間の肌に近い組成であるかどうかなのです。

人間の皮膚には、約6種類のセラミドがあることが現在わかっています。このうちとくに保水力にすぐれているのは、セラミド1、2、3。このいずれかが入っているものを確実に選ぶことが最優先です。

またセラミドは、化粧品原料としても比較的高価なので、類似品もたくさん出回っています。購入するときには、全成分表示を確認するほうが安全です。たとえセラミドが入っていても、極端に安いものだと、微量しか含まれていないこともありえます。価格は、化粧品の量や種類にもよりますが、3000円以上を目安に選ぶとよいでしょう。

保湿効果を期待できるセラミド以外の成分は、次ページのように、強力なものから弱めのものまで、さまざまなものがあります。それぞれの特性を理解したうえで、自分の肌に合う保湿成分を見つけてください

代表的な保湿成分の種類

水分保持力 ★★★

Type 1

水分をはさみ込むタイプ

このタイプは、水をサンドイッチ状にはさみ込んで、しっかりキープする性質があります。代表的な成分はセラミド。水分保持力は最強です。

セラミド

細胞間脂質の約40%を占めている。水分を強力にはさみ込んでキープする特性が。湿度が下がっても、水分をキープできる最強の保湿物質。

スフィンゴ脂質（スフィンゴリピッド）

セラミド以外の細胞間脂質。保湿力はセラミドより弱い。

水素添加大豆レシチン

大豆から抽出される成分。

ステアリン酸コレステロール

セラミド以外の細胞間脂質。保湿力はセラミドより弱い。

保湿成分は、水分のキープ方法がいろいろあります。肌の状態に合わせて使い分けましょう。ここでは3つのタイプに分けてみました

水分保持力 ★★

Type 2

水分を抱え込むタイプ

真皮にもともとある成分などがよく使われます。ただし、これらを肌に使った場合、真皮まで吸収されることはなく、角質内保湿として働きます。湿度が下がっても、水分を抱え込んだままキープしてくれるのです。スキンケアアイテムのほか、ボディケアアイテムやハンドクリームにもよく配合されています。

ヒアルロン酸

真皮にあるゼリー状の物質。200～600倍の水分を蓄える力がある。敏感肌の人にもおすすめ。

エラスチン

これも真皮にある物質。保湿力が強いため、化粧品に配合されることもある。

コラーゲン

真皮では弾力を保つ働きをもっているが、化粧品として配合される場合は、保湿成分となる。残念ながら、真皮までは吸収されない。

ヘパリン類似物質

血液中のヘパリンという成分に水分含有力があることから、類似の成分を保湿成分として応用したもの。医薬品にも使われている。

水分保持力 ★

Type 3

水分をつかむタイプ

水分を吸湿する性質がありますが、冬場など湿度が低いときには保湿力が下がってしまいます。

天然保湿因子(NMF)

角質細胞内にある水溶性の成分。アミノ酸や尿素、PCA(ピロリドンカルボン酸)など、約20種類の成分で構成されている。保湿力は強くないけれど、サラッとしていて使用感がよいため、化粧水によく配合されている。

PG(プロピレングリコール)、グリセリン、1.3BG(ブチレングリコール)

多価アルコール。吸湿性に優れ、化粧品にはよく使われる成分。保湿力はあまり強くない。

気づかなかった……従来の保湿の盲点

正しい保湿ケアをマスターするには
これまで常識と信じて疑わなかった
保湿ケアの盲点に気づくことが大切。
ここでは5つの代表例をご紹介します。

従来の保湿の盲点 1

化粧水だけでは バリア機能が働いて うるおわない

化粧水の構成成分は、大部分が水。しかし、その水は肌の奥まで入っていきません。これは角層のバリア機能が働いているため。浸透するにしても、角層の2~3層程度。これではすぐに水分が蒸発してしまってキープできません。シートマスクなどで「浸透」させようとする人もいますが、それでは保湿としての役割を果たしたとはとうていいえないのです。

※化粧水を使う目的はP58を参照してください。

従来の保湿の盲点 2

化粧水をつけたあと しっとりするのは 一時的なもの

たしかに、化粧水をつけると肌表面が濡れます。でも、唇が乾燥しているときに舌でなめて、一瞬はうるおった感じになっても、そのあとまたすぐに乾きませんか？ じつは肌の上でも同じことが起こっているのです。スプレータイプの化粧水をつける人もいますが、蒸発するときに肌の水分も奪ってしまいます。

化粧水の大部分は水分で構成されているので、つけた直後は濡れるけれど、すぐに蒸発します。そして蒸発すると乾く……という負（マイナス）のスパイラルに。

従来の保湿の盲点 3

「乳液でフタ」には落とし穴があった！

いくら油分を塗っておいても、セラミドや水分保持力のある成分が少なければ、やはり肌は乾きます。なぜなら、水分保持力のない油分を塗っても、そのすき間をぬって水分が蒸発してしまうから。

乳液は、水分約50～70％と約10～20％の油分とで構成されています。そもそも水分のほうが多いため、水分の蒸発を防ぐには物足りません。

けれど、セラミドや水分をキープできる保湿成分の入った乳液なら、話は別です。それは乳液でフタをするという働きではなく、セラミドに水分をキープするという働きがあるから。

いずれにせよ、水分をつかんで離さないということがもっとも重要なのです。

セラミド配合の美容液をつければ、乳液などは不要？

セラミドは、水溶性の成分ではないので化粧水には非常に配合しにくいもの。ですので、ある程度の油分を含んだ美容液や乳液として取り入れるのがおすすめです。そのほかにも、乳液には肌をやわらかく、なめらかにする効果があるので、できれば、組み合わせて使うのがおすすめです。

＊乳液を使う目的はP66にもくわしく紹介しています。

従来の保湿の盲点 4

オイリー肌や大人ニキビ肌にも保湿は欠かせない

オイリー肌や大人ニキビ肌の人は、「べタつくのがイヤ」とか「油分は必要ない」と思って、化粧水だけですませてしまうことが本当に多いもの。保湿をおざなりにすれば水分まで不足してしまいます。

水分不足の肌は逆にテカリが目立つうえ角層のバリア機能が低下して、大人ニキビもよりできやすくなるのです。

従来の保湿の盲点 5

洗顔料に配合された保湿成分は洗い流すので意味がない

市販の洗顔料には、さっぱりタイプやしっとりタイプとうたわれているものがあります。しっとりタイプには油分が含まれており、すすぎ流したあとに、肌上に油分が残るのでしっとりと感じるしくみです。でも油分が残ると毛穴が詰まったり、そのあとにつける化粧品などの浸透を妨げたりします。

洗顔は、やはり汚れを落とすことに徹するべきです。

＊洗顔の目的はP54を参照してください。

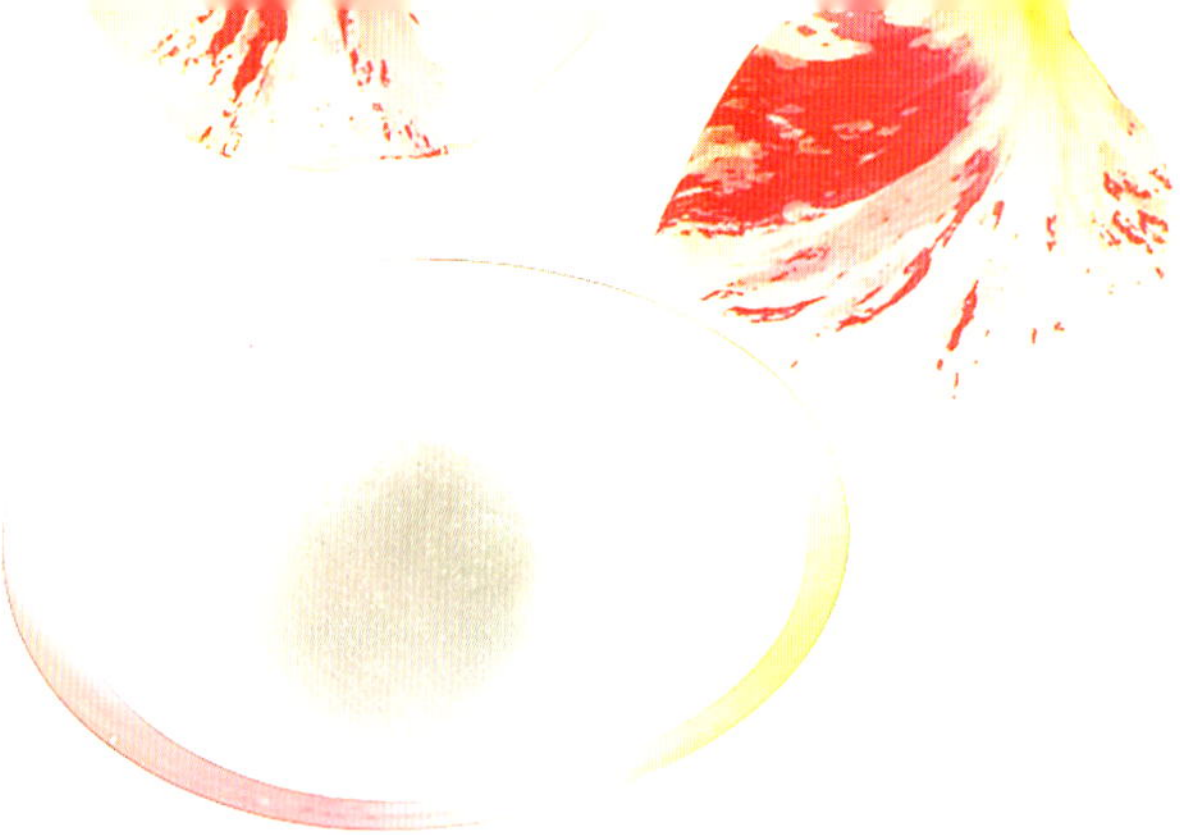

デイリースキンケア正解ステップはこれ！

基礎メンテナンス

Part 3

1週間で上向き肌を実感

「私のクレンジング方法は本当に正しいのかしら？」と、毎日行っているスキンケアに不安を感じている人は多いようです。しかも、せっかく毎日ちゃんとケアしているのに、なぜか肌トラブルが出てしまう……という人ほど、その不安度はより深刻になっているよう。

たしかに、せっかくケアしていても、それが間違っていては、肌トラブルが減るどころか、逆に増やしてしまう可能性が高いのです。そこで、この章では、みなさんの不安を解消すべく、正しいデイリーケアの方法や化粧品選びのポイントをご紹介していきます。

正しいケアができていなかった人ほど、1週間続けるだけでも美肌効果を実感できるはず。

もう迷わない！

デイリースキンケア 正解の法則

毎日のことだからこそ正しいお手入れが肝心！

毎日行っているスキンケア。人と比べるわけではないので、自己流で間違ったケアをしていても気づかない人が多いのです。たとえば、力を入れすぎてゴシゴシ顔を洗っているとか、「もったいないから化粧品の使用量は少しだけ」というものが代表例。そして、自分の肌に合うアイテムが選べているか、正しいやり方でケアできているかが、きちんと理解できている人も少ないのではないでしょうか。

毎日行うことだからこそ、正しい方法を知らずに間違ったケアを続けていたら、せっかくの努力も効果半減です。まずは上の「間違いスキンケア法 ワースト5」にあてはまらないかチェックし、正しいスキンケア方法を身につけましょう！

見直すべきポイントはココ！

間違いスキンケア法 worst 5

- worst 1 肌に合うスキンケアアイテムを選べていない
- worst 2 ゴシゴシこすりすぎ
- worst 3 使用量が少なすぎ
- worst 4 時間をかけすぎ
- worst 5 ゾーン別のメリハリスキンケアができていない

正しく実践できれば 1週間で肌変化を実感できる

化粧品の効果をなかなか実感できない人も多いのではないでしょうか。でも、正しく使えていなかったり、肌が健康でなかったりすると、効果は実感できません。

そもそも化粧品には、3つの効果が出るようにつくられています。一つは、肌が引き締まるとか、肌が明るくなるといった、使った直後に実感できる効果です。二つめが、1週間から1か月使い続け、ハリが出るとかシミが目立たなくなるという継続使用の効果。そして三つめが、心理的な効果です。もしあなたが「本当に効くのかな?」と疑って使っていると、化粧品の効果が損なわれてしまうことに。これは、交感神経系などが微妙に影響しているからなのです。

また、化粧品メーカーは、使い続けて効果を実感してもらいたいので、1週間で何かしらの結果が出るような成分を選び、配合しているものです。なぜかというと、肌は1週間で角質の約半分が入れ替わるから。「なんだか調子がいい」とか「ファンデーションののりがよくなった」などが、最初の1週間で現れる変化の代表例。最初に手ごたえが感じられると、楽しくケアができるようになり、続けられるように。

この好循環がすこやかな美肌を育む秘訣なのです。肌あれをしている場合は、それが治ってからがスタート。そこから1週間で肌の変化を感じとってみてください。

化粧品を上手に使うポイント

元化粧品開発者の視点

取扱説明書をよく読む

化粧品には必ず取扱説明書がついています。これはいわばメーカーからのラブレター。使い方や使用量をしっかり確認して使えば、失敗が少なくなります。

疑問点はきちんとたずねる

自分の肌に合う化粧品が見つからない、このトラブルにはどの化粧品が合うのか…など、スキンケアのことで迷ったら、化粧品カウンターでぜひ相談してください。カウンターにいる販売員はスキンケアのプロですから、わからないことはとにかく聞くことが大切です。また、メーカーに電話などで問い合わせてみるのも一法。どんどん聞いて疑問を解決していくと、スキンケアの達人になれますよ。

デイリースキンケア
正解ステップ

1 クレンジング

水で洗っても落ちない油性のメイクアップ料を落とす

クレンジングが必要な理由

どうしてクレンジングをしなければならないの？　なんて、考えたことありますか？　ただやみくもに使っていては、素肌をすこやかに保つことはできません。この機会に、クレンジングの意味を考えてみましょう。

クレンジングで落とすものは、油性のメイクアップ料です。そのため、メイクをしている日はクレンジングの必要があります。では、そのクレンジング料は何でできているのかというと、油分と界面活性剤（下記参照）プラスアルファです。油性のメイクアップ料を肌から浮き上がらせて落とすには、油分がどうしても必要です。さらに、洗い流す際の水と油分をなじませる橋渡し役として界面活性剤が配合されています。これらの油分と界面活性剤、水の配合量などが変わると、オイルタイプやクリームタイプなどの形状に分けられるしくみになっているのです。

どんなクレンジング料を選んだらいいの？

左の表にあるように、クレンジングは、その形状によって刺激の強さが変わってきます。また、落ち具合なども形状ごとに特徴があります。

では、何を基準に選べばいいのかというと、自分のメイクの濃さに合わせて使い分けるの

界面活性剤って何？

油性の成分は、水で洗い流そうとしても落ちにくい。なぜなら油は水をはじきかえしてしまうから

がおすすめです。メイクオフ力が強いほうから順に、オイルタイプ、クリームタイプ、ジェルタイプ、ミルクタイプ、……となります。ふだんのメイクが濃ければ、メイクオフ力も高くないと落ちにくく、また休日の薄いメイクなら弱めでも充分落ちます。ただし、メイクオフ力の強いものは当然肌の負担になります。

たとえば油分の多いオイルタイプは、「マスカラもスルリと落ちる」「すすぎがスピーディー」などの理由で人気ですが、界面活性剤が多く配合されているため、肌への負担が大きい傾向にあります。油分を多量に含んでいるのに、水を加えた瞬間、白く乳化して一気に落とすことができるのは、界面活性剤を多く配合しているからなのです。

また、ミルクタイプも最近、肌にやさしいと人気のようですが、水分が多いため、メイクとなじむまでに時間がかかりやすく、肌をこすってしまいがちなので、注意が必要。

デイリーに使うなら、油分も水分も多すぎず、バランスのよいクリームタイプがおすすめです。なかでも、適度に固めのテクスチャーのものを選びましょう。

クレンジング料の種類と肌への刺激

刺激アップ！

シートタイプ
「油分でメイクを浮かせる」というプロセスを省略し、界面活性剤の洗浄力だけで落とす。そのため肌ダメージが大きい。さらに、拭くときにどうしても肌に小さな傷がつきやすい。

オイルタイプ
界面活性剤を多く含むため、サラッと簡単に落ちるのが人気の理由。そのぶん肌ダメージも大きい。使用するのは、とくにメイクの濃い日だけに限定したい。

ジェルタイプ
乳化していない透明のジェルタイプは、界面活性剤が多く、肌への負担は大。クリームのような乳白色タイプなら○。

クリームタイプ おすすめ No.1
適度な油分を含み、肌へのやさしさとメイクオフ力を兼ね備えている。ただしメーカーによって多少バラつきあり。

ミルクタイプ
肌にはやさしいものの、水分が多いため、メイクオフ力はいまひとつ。薄づきメイクの人向き。

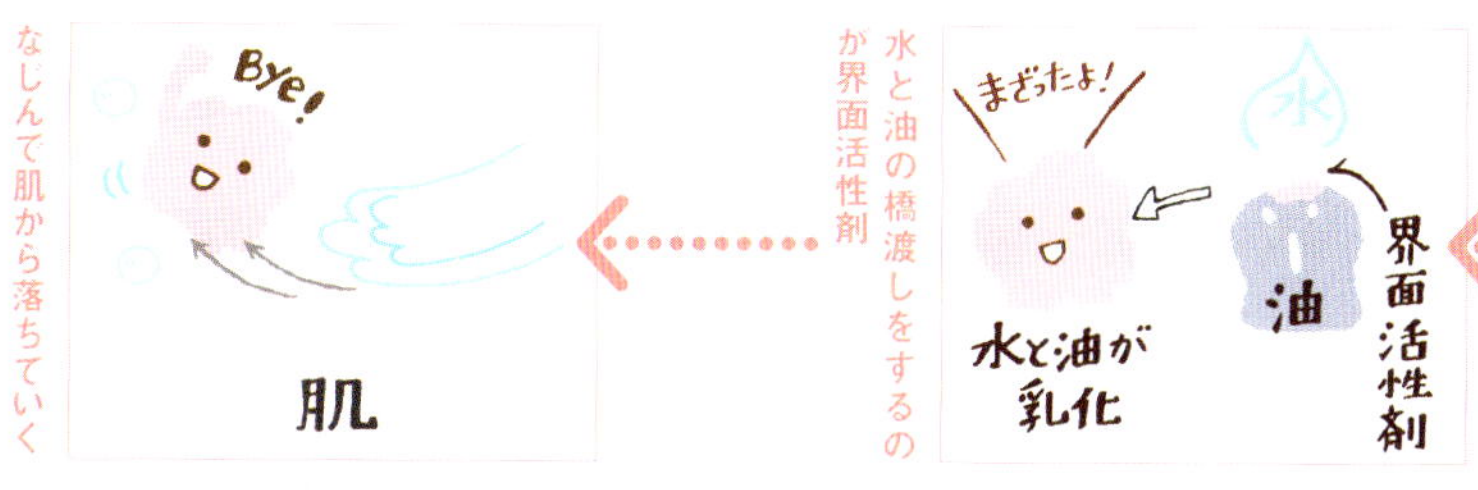

How to

クレンジング

メイクを落とすプロセスは、肌にとっていちばん負担になるものです。正しい方法で適切な使用量を守ることが、肌をいたわりながら落とす最大の秘訣！　意外とできていない人が多いので、ここで正しい方法をきちんとマスターしておきましょう。

やりがち NG！

ゴシゴシこする
角層に傷がつき、肌あれを招く原因に！

クレンジング料をケチる
肌になじませるときに量が少ないと、摩擦が起きやすくなります。

時間をかけすぎ！
肌のうるおいまで取りすぎてしまい、肌にとって刺激に。

OK クレンジング料の使用量を守る

1

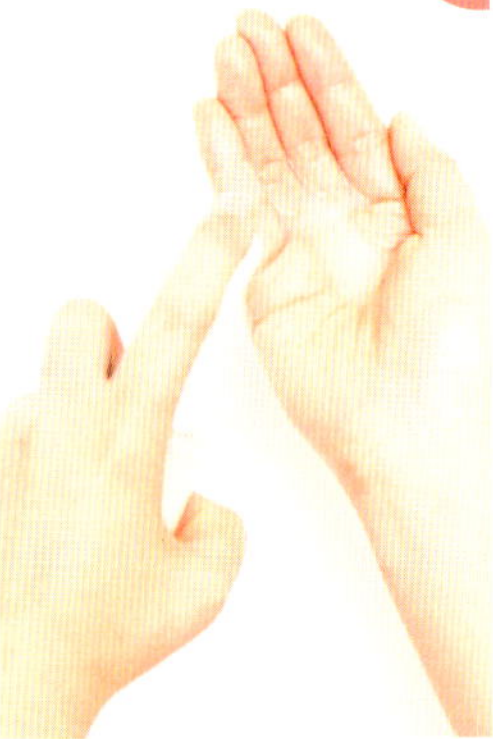

適量のクレンジング料を手にとる

クレンジング料を手のひらに適量の半分とります。適量は、商品によって異なります。クレンジング料に添付の説明書を参考にしましょう。

頬にいちばんにのせない

2

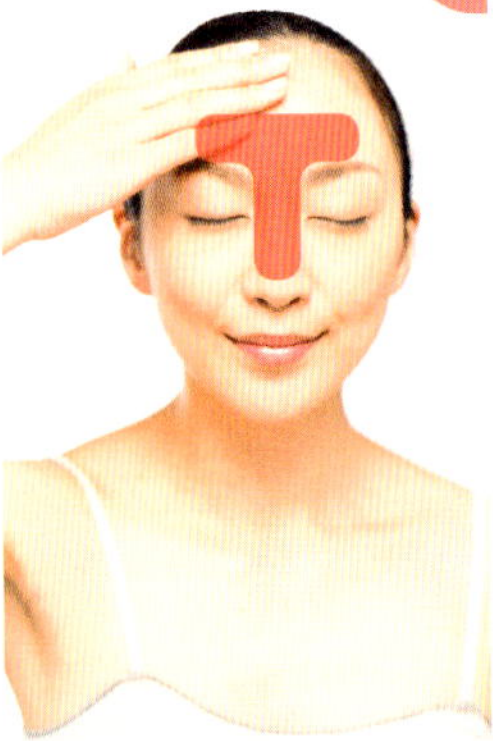

Tゾーンからのせていく

最初に、顔の皮膚の中でも比較的強い部分、額から鼻にかけてのTゾーンにクレンジング料をのせて、指の腹を使い、軽くメイクアップ料となじませていきましょう。

OK 皮膚の強いTゾーンから順になじませる

熱湯や冷水ですすぐ

熱すぎるお湯だと肌の乾燥を促し、冷たすぎる水だと油が固まって汚れが落ちません。

クレンジング料は肌に負担がかかるので、なるべく短時間で終わらせたいもの。すすぎまで含めて**約１分間**で終わらせるよう心がけましょう

OK 卵を割らない程度の力加減で行う

私の顔は卵…

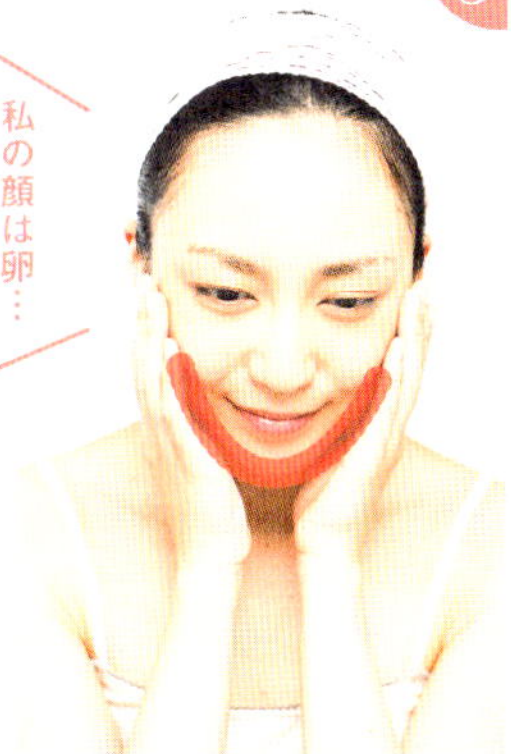

3 次にUゾーンへのせる

再び、手のひらにクレンジング料の残りをとり、頬などのUゾーンにクレンジング料をのばしていきます。そして、軽くメイクアップ料となじませておいて。

4 最後に目元や口元などにもなじませて

もっとも皮膚が弱い部分、目元や口元などの細かいところにもクレンジング料をのばします。ここはとくにやさしく、ていねいにメイクアップ料となじませます。

5 ぬるま湯で手早く洗い流して

ぬるま湯を使って、手早く洗い流していきます。多少のベタつきがあっても大丈夫！　続けて、洗顔料を使った洗顔を行えば、ベタつきもキレイに落ちますよ。

OK すすぎは人肌程度のぬるま湯で

Detail technique

唇の下

凹んでいて汚れが残りやすい場所です。下の歯と下唇のあいだに舌を入れ、盛り上がらせると、なじませやすくなります。指先はくるくると動かして。

小鼻

細かな凹みに入り込んだ汚れも、しっかり浮かせましょう。指を上下させながら、やさしくなじませます。

頑固なポイントメイクは専用のリムーバーで落とそう

落ちにくいマスカラなどには専用のリムーバーを

マスカラや口紅などを使ってメイクをしたときは、専用のリムーバーを使うのがベストです。とくに、ロングラスティング（落ちにくいとされている）のものなどを使ったときは必須。落ちのよさだけでなく、肌への負担を考えても、専用のリムーバーを使ったほうがいいのです。

どんなリムーバーを選んだらいい？

とくにマスカラはメーカーによって、フィルムで固める、ワックスで固める、シリコン樹脂で固める、などさまざまなケースがあり、つくり方が異なります。そのため、リムーバーならどれでも落とせるとはかぎらないのです。

では落ちないときはどうすればいいのかというと、使っているマスカラと同じメーカーのリムーバーを使うのです。メーカーは、自社ブランドのマスカラや口紅が落ちるかどうかでリムーバーを開発しているので、同一メーカーのものを使うのが無難ということです。これはファンデーションを落とすときも同じ理屈で、同一メーカーのクレンジング料がいちばんおすすめ。

もし、同一メーカーでリムーバーをつくっていない場合でも、化粧品店や百貨店のカウンターで、使っているメイクアイテムを言って「それを落とすものをください」と伝えてみてください。用意してもらえますよ。

How to

ポイントメイク落とし

メイクオフしにくいロングラスティングもののアイメイクや口紅を落とすときは、どうしても目元や口元を強くこすりがち。目のまわりや唇は皮膚が弱いので、やさしく扱うのがポイントです。顔全体のクレンジング前に落としておきましょう。

1

目元&口元にコットン湿布を1分

専用リムーバーを、裏に少ししみるくらい含ませたコットンを3枚用意します。両目&口元にのせてフィットさせ、そのままメイクアップ料が浮くまで約1分おきます。

2

こすらないよう汚れをぬぐい取る

湿布していたコットンをゆっくりと動かし、メイクアップ料をぬぐい取ります。もしアイラインや口紅などが少し残っていても、この時点では気にせず洗顔へ進みましょう。

OK コットン湿布で汚れを浮かせたら無理なくメイクオフ

精製オリーブオイルでもポイントメイクは落とせる！

薬局やドラッグストアに、精製されたオリーブオイルが売られています。これは食用ではなく、皮膚の保護などのために使われるものですが、このオリーブオイルでもポイントメイクを落とすことができます。界面活性剤が入っていないので、肌にやさしく落とすことができるのです。敏感肌の人や専用のリムーバーであれてしまったことのある人には、とくにおすすめです。

デイリースキンケア
正解ステップ

2

洗顔

肌に余分な皮脂汚れを落とす

洗顔の主な役割とは？

元化粧品開発者

顔の肌は、衣服などに覆われている部分と違い、排気やたばこの煙、ほこりなど、空気中の汚れに四六時中さらされています。これらの汚れに、さらに汗や皮脂、古い角質、メイクアップ料などがまざり合っていきます。これが肌の汚れの正体！　この状態を放置しておくと、雑菌が繁殖したり皮脂が酸化して過酸化脂質がつくられたりと、肌の刺激物に変化してしまうおそれがあります。

「クレンジングで全部落ちないの？」と思われるかもしれません。ですが、クレンジングはメイクアップ料など油性の汚れを落とすことに、洗顔料は水性の汚れを落とすことに特化したものとして、それぞれつくられているので、メイクをした日はクレンジングと洗顔の両方が必要になります。

では、朝は外出していたわけでもないのに、どうして洗顔をする必要があるのでしょうか。じつは朝は寝ているうちに分泌された汗や皮脂、ほこりなどで意外と汚れがついているから。これらの汚れを洗い流すのが朝の洗顔の目的なのです。

どんな洗顔料を選んだらいい？

皮膚科医

最近では、肌にうるおいを残す洗顔料や美白の洗顔料など、汚れを落とす以外の目的も

皮脂汚れはもちろん肌に残ったメイクアップ料も

固形石けんがすっきり落ちる理由

プラスアルファされたものが多く出回っています。ですが、洗顔料は洗い流してしまうものなので、保湿や美白などの成分が配合されていたとしても、全部すすぎのときに水に流れてしまいます。ですから洗顔料を選ぶときは、あくまでも汚れをしっかり落としてくれるものを選びましょう。

いちばんのおすすめは、シンプルな固形石けん。なぜかというと、しっかりと汚れが落ちて、肌に余分なものが残らないからです。この余分なものとは、うるおい成分でできる膜のようなもののこと。たとえば、しっとり洗顔料には、油分が含まれていてそれが肌に残るので、洗顔後の肌がしっとりした感触になります。ところがそれでは肌に油膜を張ったような状態になり、あとから使う化粧品の浸透を妨げることにもなりかねません。シンプルな固形石けんは、このような余分な油分を含まないのでおすすめなのです。

洗顔料は成分表示からは選びにくいのですが、形状からある程度の判断はできます。形状別の特徴は、左のとおりです。自分の使いやすいタイプの洗顔料で、なるべくシンプルなものを選ぶようにしましょう。

洗顔料の形状別の特徴

固形石けん　おすすめ No.1

シンプルな固形石けんなら、余分な油をあまり含まないものが多い。オイリー肌の人なら、浴用石けんを使っても○。

洗顔フォーム（クリーム、リキッド）

肌への負担は、強いものから弱いものまでさまざま。しっとりタイプの多くは30 ～ 40%の油分を含み、肌に油膜を残すしくみ。

パウダータイプ

洗顔フォームと同様に、洗浄力が強いものから弱いものまでさまざま。

泡タイプ

手早くさっと洗顔できるのが便利な半面、強い界面活性剤を配合しているものもあり、選び方は難しい。泡の固いものは、発泡剤が多く含まれる傾向にある。

泡立たないタイプ

超しっとりタイプ。洗浄力が弱く汚れが充分に落ちないので、水でもしみるほど肌あれがひどい人以外にはおすすめできない。

しっかりと落ちる

洗い上がりに油膜を残さない

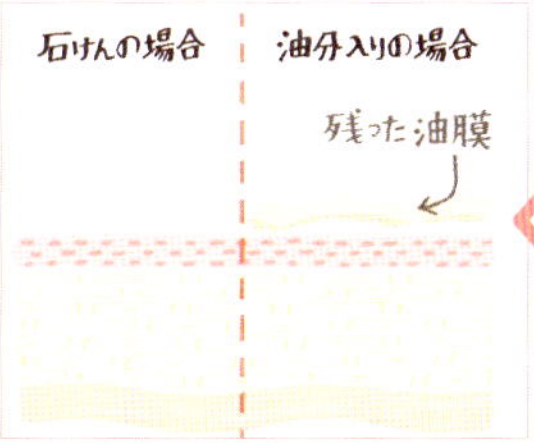

How to

洗顔

クレンジングに次いで、洗顔も行い方によっては肌に負担のかかるプロセスです。しかも、ほとんどの人が正しくできておらず、肌を傷めてしまっている場合も！　完璧な洗顔テクニックを身につけて、美肌へつなげていきましょう。

やりがち NG！

泡立てが足りない
泡の量が少ないと、洗顔料の濃度が高すぎるうえ、摩擦の原因に。

ゴシゴシこすりすぎ
洗顔は摩擦で洗うのではなく、泡で汚れを落とすもの。こすって洗うと角層を傷つけるだけです。

すすぎ不足
生え際やあご下など、泡がついたままだと、肌への刺激になってしまいます。

1

まず、ぬるま湯で顔をぬらす

手を洗って雑菌を落とし、そのあと、顔をぬるま湯で素洗いしておきます。

めんどうだけど いちばん重要

2

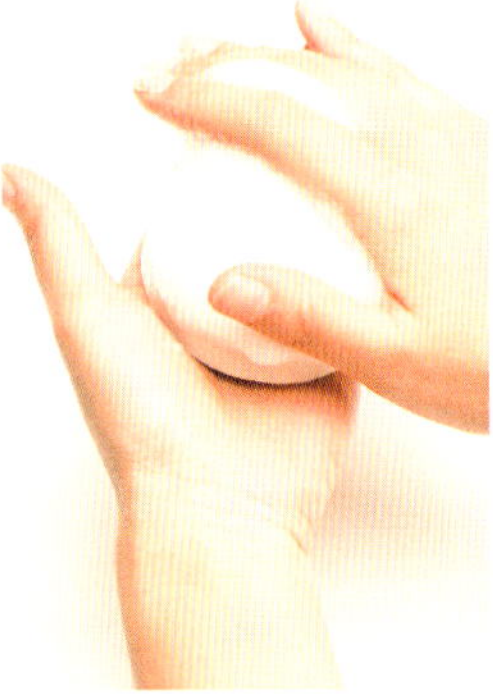

洗顔料をよく泡立てて！

洗顔料を適量、手のひらにとり、水を加えながら泡立てます。このとき、空気を含ませるように泡立てるのがポイントです。

もちもち泡

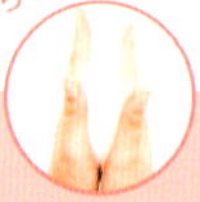

OK **泡立ての目安は 手と手を重ね合わせ、あいだに泡のクッションができる程度**

時間のかけすぎ
長々とやりすぎると当然肌に負担に。洗浄剤だということを忘れないで。

仕上げに冷水
肌を冷やすことで毛穴が一時的に締まったように感じますが、その冷却効果は30分ともちません。また急激な温度変化は、赤ら顔の原因になることも。

洗顔もクレンジングと同様に**1分～1分半**で終わらせます。お湯の温度は洗い始めから最後まで一定の温度を保ちましょう。

OK 卵を割らない程度の力加減で行う

OK すすぎ残しがないようにていねいにすすぐ

3

泡は皮脂の多いTゾーンからのせる

皮脂分泌の多い額や鼻にかけてのTゾーンにまず泡をのせます。くるくると円を描くように軽く汚れとなじませて。

4

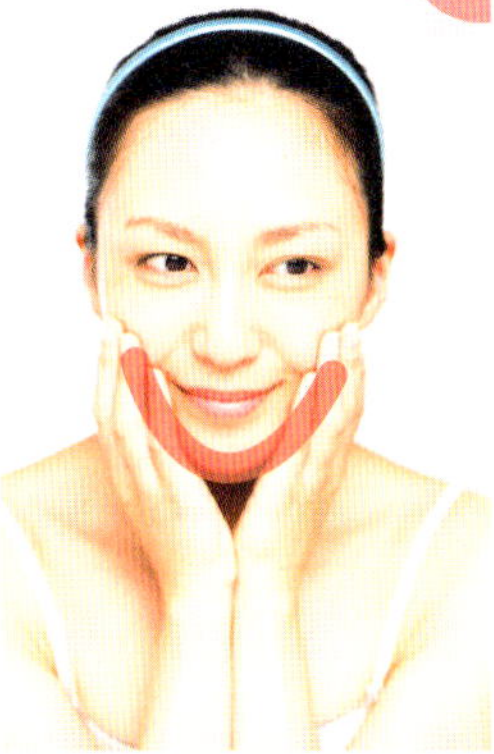

次に、頬などのUゾーンを洗う

頬やあごなどのUゾーンにも泡をのせ、泡を転がすようにして、軽く汚れとなじませます。最後に目元や口元などの繊細な部分にも泡をのせて、軽くなじませます。

5

ぬるま湯で充分にすすいで！

人肌程度のぬるま湯で、ていねいに洗い流していきます。とくに、こめかみやフェイスライン、髪の生え際などに泡が残らないように、ちゃんと洗い流しましょう。

Detail technique

便利な泡立てネット、ここに注意

洗顔料は、水と空気を含ませながら適正な洗浄濃度にしていくものです。スピーディーにたっぷりの泡をつくれるのが便利な泡立てネットは、じつは水が少なくても泡立つのが盲点。きちんと適正な水を加えないと、濃度が高いまま肌に触れてしまうので注意しましょう。

※写真は手の動きをわかりやすくするために泡を省いていますが、実際は泡をつけて行ってください

デイリースキンケア
正解ステップ

3 化粧水

肌への効果を求めるなら選び方がポイント

化粧水は何のためにつけるもの？

皮膚科医

「化粧水＝肌のうるおいのもと」と思われがちですが、じつは間違いです。化粧水が、そのまま肌の水分になるわけではありません。また化粧水だけでは、充分な保湿はできません。なぜなら、化粧水の大半は水なので、水の中に保湿成分はあまり配合できないからです。保湿効果に過度の期待は禁物です。

　では、化粧水は何のためにつけるのかというと、清涼感があって、快い気分になるから使っているようなもの。それも大切なことですが、化粧水はスキンケアにとって不可欠というものでもないのです。

どんな化粧水を選んだらいい？

皮膚科医

肌をみずみずしく整えるという意味では、化粧水は使用感の好みで選んでいいと思います。ただ、使うからには効果を求めたい人は、自分に必要な美肌効果のある化粧水を選びましょう。

　いちばんのおすすめは、ビタミンC誘導体入りの化粧水。ビタミンC誘導体は、抗酸化や美白、毛穴の引き締めなど、さまざまな効果をもつスーパー成分です。クリームなどより水に配合したほうが安定性が高まる成分なので、化粧水なら好ましいといえます。

　そのほか、次ページ左端で紹介する水溶性

誘導体って何？

たとえば通常のビタミンCは水溶性のため、そのまま肌に塗っても吸収されにくい

の美肌成分を含む化粧水もおすすめです。

つけ方の正解は手？それともコットン？

ふだんのスキンケアでは、コットンを使う必要性はないでしょう。なぜなら、コットンを肌の上にすべらせるたび、力を入れすぎたり、強くパッティングしたりなど、みなさんの陥りやすい間違いポイントがたくさんあるからです。どんなに上質のコットンでも、強くゴシゴシこすると繊維の刺激で角層に小さな傷がつきやすいのです。

角層に傷がつくと、肌のうるおいが蒸発し、外からの刺激が肌内に入り込みやすくなります。すると肌は乾燥して、老化を招く要因にもなりかねません。

たまに、手でつけるとムラになる、手が化粧水を吸ってしまうなどと耳にしますが、これらはすべて俗説です。

そもそも、手にとった水も肌の中に吸い取られてしまうなら、水をすくうこともできませんよね？　水はしっかりすくえているのですから、手で化粧水をつけても、まったく問題はないのです。

水溶性の美肌成分

Type1
ビタミンC誘導体 おすすめ No.1
ニキビ、シミ、シワ、毛穴のたるみなど、あらゆる肌悩みに対応。いくつか種類があるが「リン酸パルミチン酸型（APPS）」がもっとも効果が高い。

Type2
各種抗酸化成分
水溶性の抗酸化成分なら、化粧水で使う意味がある。オウゴンエキス、リコピン、グレープシードエキスなど各種植物エキスがよく使われている。

Type3
保湿成分
アミノ酸（天然保湿因子）、ヒアルロン酸やコラーゲンなどの保湿成分は、水溶性なので化粧水にもよく使われる。ただし、ヒアルロン酸、コラーゲンの配合量は少量。なぜなら高濃度に配合しているものは美容液のカテゴリーになるため。

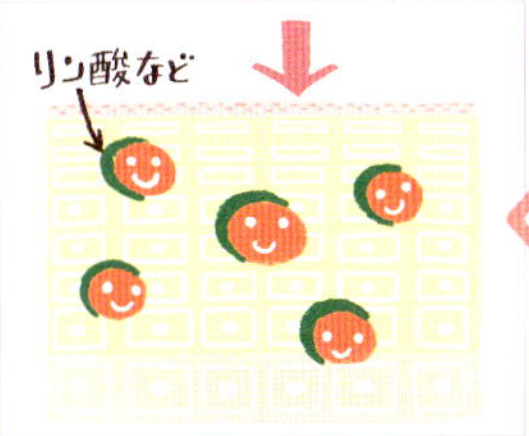

油溶性などの物質をくっつけ安定性を高めたのが誘導体

肌内部で活性型のビタミンCに変わる

How to

化粧水

手で化粧水をつけるときにも、肌を刺激しないよう気をつけたい点があります。ここではそのポイントをご紹介します。

やりがち NG!

手でパチパチとたたく

たたく刺激が赤ら顔やシミの原因になることもあるので注意して!

何度も重ねてつける

たっぷり重ねづけしても、角層の2〜3層にしか浸透しません。

OK 使用量は化粧水に添付の説明書どおりで○

1

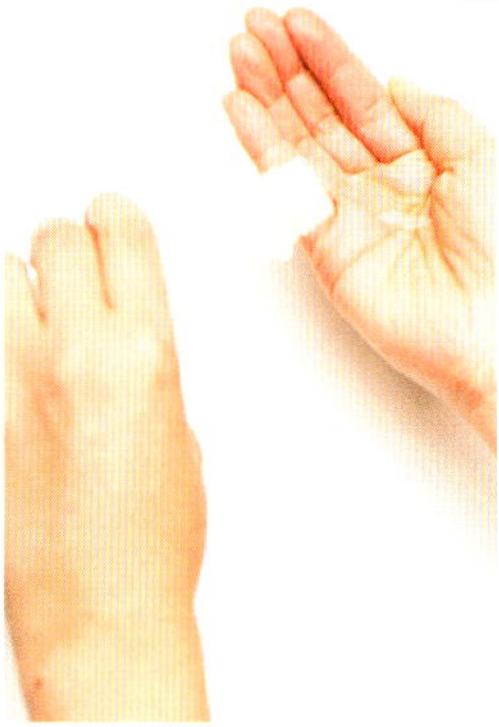

手のひらに適量の化粧水をとる

使用量は化粧水によって異なるので、取扱説明書を参考にしてください。ただし、化粧水はつけたぶんの大半が蒸発するので、あまりたっぷりつける必要はありません。

2

顔全体にさっとなじませる

まずは手のひらで顔全体にさっとなじませます。仕上げに、乾燥しやすい目のまわりとフェイスラインに、手のひらを使って軽く押さえてなじませましょう。

OK 手で押さえるようになじませてつける

どうしてもコットンでつけたい人は

正しいコットン使いをマスター

ふだん使い慣れているコットンで化粧水をつけたいという人に、どうしても気をつけてもらいたい注意点をお伝えしておきます。必ずやさしく肌をいたわるように使いましょう。

やりがちNG!

強くこする
肌を強くこすりすぎると、肌を傷めることに!

100回パッティング
コットンでたたく刺激は強すぎ。深く浸透するわけではないので、無意味。

1

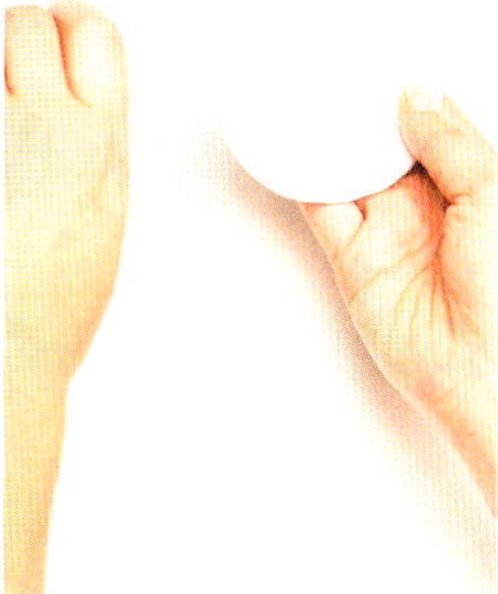

コットンに適量の化粧水をとる
量はコットンの裏側までしっかりしみるくらいが目安です。化粧水の量が少ないと、肌に刺激を与えることになるので注意しましょう。

2

顔の内から外へとまんべんなくなじませる
化粧水をつけたコットンを、顔全体にやさしくすべらせるようになじませていきます。

OK 肌の上をやさしくすべらせるようにつける

化粧水をひたして使う**シートマスク**なども人気ですが、肌に水分をしみこませても、**時間とともに蒸発**してしまいます。保湿パックを行うなら、石膏《こう》状に固まり、水で流すタイプがおすすめです

デイリースキンケア
正解ステップ

4

美容液

保湿成分をはじめ、さまざまな有効成分を肌に補給する

美容液ってどんなもの？

皮膚科医

美容液の大きな特徴は、保湿成分や美白成分など、有効成分が豊富に含まれていること。肌にうるおいや栄養を与える、いわばスキンケアのメインとなる重要なアイテムです。美容液は、密度が濃くて、そのぶんサイズは小さめのものが多いようです。

じつは「こういうものが美容液」という正確な定義はありません。ですから、各メーカーがいろいろなものを美容液として発売しています。ジェル状のもの、クリームのようにコクのあるもの、化粧水のように水っぽいもの、テクスチャーもさまざまです。

どんな美容液を選んだらいい？

皮膚科医

では美容液を選ぶときには、どのような基準でセレクトすればいいのでしょうか。

まずは配合されている成分を確認しましょう。保湿から美白、アンチエイジングなど、いろいろな成分を含むものがあります。「美容」液というからには、なんらかの美容効果を期待するものですから、有効成分についてはきちんと確認することが大切です。

保湿目的で選ぶなら、保水力にすぐれたセラミドがおすすめ。2章でもお伝えしたとおり、セラミドは水溶性の物質ではないので化粧水には配合しにくいもの。ある程度の油分

有効成分を
効率よく
補える秘密

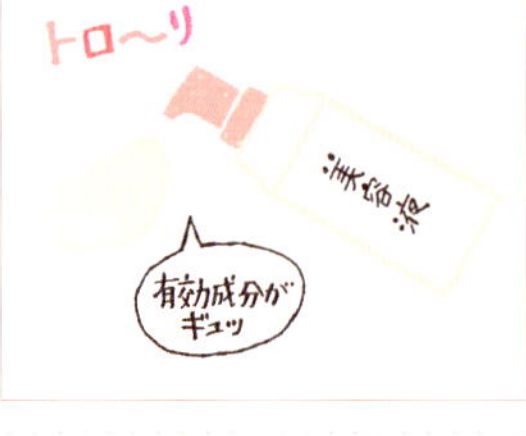

美容液には有効成分が豊富に含まれている

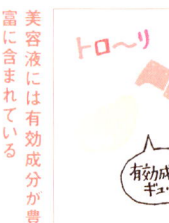

を含んだ美容液として取り入れるほうが効果的です。

肌に合う保湿美容液が見つかったら、むやみに使い分けるのはやめましょう。シーズンごとに替える必要もありません。乾燥する冬はやや多め、ベタつく夏はやや少なめに塗るなど、使用量を調整するだけでいいのです。

ただ、一本で保湿も美白もシワ対策もというのは難しいもの。保湿以外の効果を望むなら、有効成分のしっかり入ったものを、目的別に用意しましょう。美白やアンチエイジング用の美容液は、左を参考にしてください。

最新の技術がいち早く反映されるアイテム

美容液は、クリームとともに化粧品の効果をもっとも期待させるアイテム。そのためどのメーカーも開発に力を注いでいます。配合される有効成分の研究はもちろん、肌なじみや、使用後に効果を実感してもらうための浸透促進の技術など、その進化にはめざましいものがあります。最先端の技術を試したいときは、美容液から使ってみることも、ひとつの化粧品選択の方法といえるでしょう。

美容液の種類とそれぞれの特徴

保湿美容液

セラミドやヒアルロン酸、コラーゲンなどの保温成分が配合されたもの（P40 ～ 41参照）。肌の水分をキープして、うるおいを逃がさない効果がある。

美白美容液

ビタミンC誘導体やアルブチン、カモミラETなど、美白成分を含むもの（P158参照）。シミのもとであるメラニンの生成をブロックするなどの作用がある。

アンチエイジング美容液

レチノールやナイアシン、ポリフェノールなどの有効成分を配合したもの（P182参照）。ハリや弾力のもととなる線維芽細胞に働きかけるものが多くある。

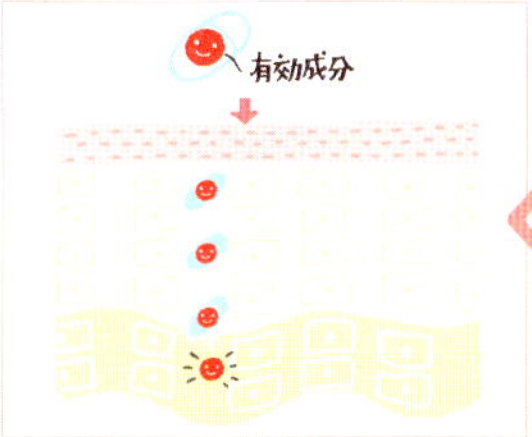

肌に浸透しやすいようナノカプセル化したり

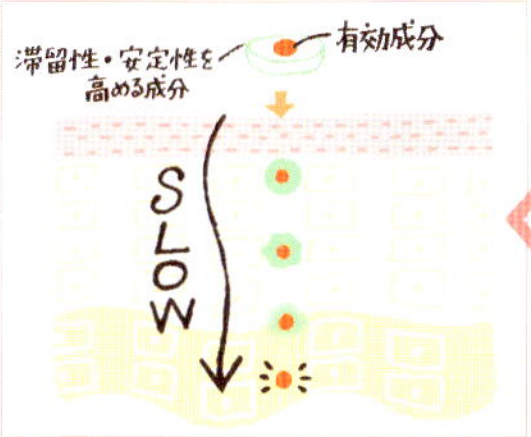

成分が長く肌にとどまるよう工夫されているものもある

How to

美容液

美容液は、保湿や美白、アンチエイジングなどの目的にかかわらず、素肌のもつ力を底上げするために、顔全体に使いましょう。塗るときは、引っぱったりせず、指の腹でやさしくなじませるのがポイントです。

1

美容液を適量手のひらにとる

基本的には説明書どおりの量でOKですが、保湿美容液なら乾燥具合に合わせて量を調節するといいでしょう。

OK まずは水っぽいテクスチャーの美容液をつける。使用量をきちんと守る

2

OK 顔全体に塗る

手のひらで押さえるようなじませる

両手のひらに美容液を広げ、両手で押さえるように、頬からなじませていきます。目のまわりや小鼻などの細かい部分にもていねいに。

やりがちNG!

塗る量が少なすぎる

説明書に記載されている適量をつけることではじめて効果が出る設計になっているので、量が少ないと効果は出ません！

顔の一部分だけにしか塗っていない

美白用の美容液なら頬の一部だけ、アンチエイジング用の美容液なら目元だけなどと、たいてい顔の一部分にしか塗っていないようです。美白やアンチエイジン

グ化粧品は、予防的に使うもの。部分的に塗っていては、きちんとした予防はできません。

テカりがちな部分に油分の多い美容液をたっぷり塗っている

美容液は顔全体に塗るのが基本ですが、オイリー肌の人は油分の与えすぎには注意しましょう。オイリー肌なのに油分の多い美容液をTゾーンにつけすぎると、皮脂が詰まってニキビなどの原因になることがあります。

2つ以上使うとき順番を考えず塗る

美白やアンチエイジングなど、異なる目的の美容液を2つ以上使うときは、水っぽいテクスチャーのものから油分のあるものへと重ねないと、浸透が損なわれます。

中指と薬指を使ってやさしくすべらせるようになじませるのがポイント

3

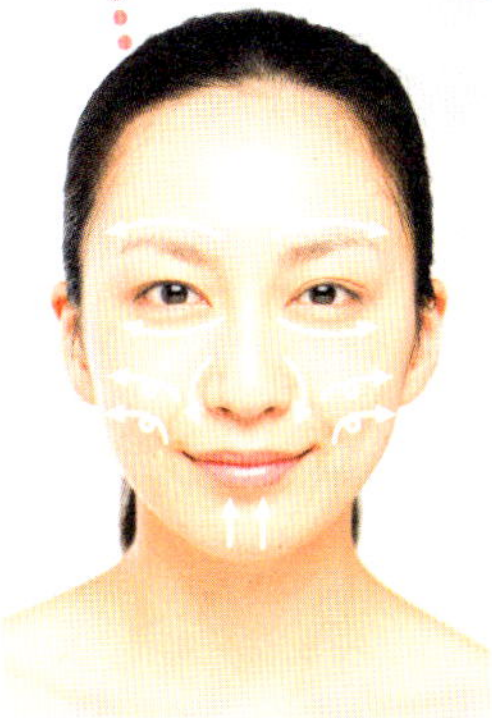

マッサージする感覚でさらに浸透アップ

顔全体につけた美容液を矢印の向きにマッサージしながら、さらになじませていきます。ただし、肌が敏感な人はこのステップを省略してください。

4

仕上げに押さえてなじませて

目のまわりやフェイスラインを、手のひらや指の腹で押さえてなじませましょう。

次の美容液をつける

効果の異なる美容液を使う場合は「水っぽいもの→油っぽいもの」の順番にしましょう

OK

テカりがちな人は、朝塗る量を少なめに。油分の多い美容液はTゾーンを避けてUゾーンだけにつける

美容液を塗るときに、ツボ押し（P171）を加えれば、さらに美肌効果は高まりますよ

デイリースキンケア
正解ステップ
5

乳液＆クリーム

油分を補って肌をやわらかくなめらかに保つ

きちんと保湿ができていれば乳液やクリームは不要？

皮膚科医

乳液やクリームを使う最大の目的は、油分を補うことにあります。皮脂の分泌量が充分にある30代までは、きちんとした保湿ができていれば油分補給は必要なく、乳液やクリームも不要のはずです。

でも40代からは、水分だけでなく油分も低下するので、セラミド配合美容液を全体につけた上から、乾燥しやすい目元や口元には乳液やクリームを重ねることも必要かもしれません。適度な油分を補うことは、肌をやわらかく、なめらかにします。動きの激しい部分には、このようなケアも有効です。

どんな乳液を選んだらいい？

皮膚科医

乳液を使うなら、セラミドなどの保湿成分が配合されたものをおすすめします。美容液と乳液の中間のようなテクスチャーで、保湿成分をたっぷり含んだ乳液というのも出ています。

乳液とクリーム、どちらを使えばいい？

皮膚科医

乳液とクリームの両方を使わなければいけないかというと、そうではありません。乳液とクリームの違いは、水分と油分のバランスの違いです。油分が多く、こっくりとしたテ

乳液＆クリームで肌がなめらかになるしくみ

革のバッグに油を塗ると表面がなめらかになる

クスチャーをもつのがクリームです。目元や口元にポイントとして使うなら、油分補給効果の高いクリームのほうがおすすめです。

どんなクリームを選んだらいい？

肌に油分を補う目的で使うのなら、高価なクリームではなく、敏感肌用のシンプルなもので充分です。アトピー肌用のスキンケアラインから選ぶと、安心で手ごろなものが見つかりやすいでしょう。

ベタつくのが苦手な人向けに、ジェルのような軽いテクスチャーのクリームも出ていますが、それでは油分を補うという意味で使う甲斐がありません。コクのあるクリームらしいクリームを選びましょう。

またクリームには、油分の補給目的のものに加え、特殊な美容効果をねらったものもあります。皮膚科学的な立場からおすすめできるのは、シワに効くのはレチノール、シミに効くのは油溶性甘草エキスなどです。これらのアンチエイジングをねらったクリームでも、極端に高いものでなく、5000円～1万円ぐらいのもので充分です。

おすすめの乳液＆クリーム

乳液

セラミドなどの保湿成分を配合した乳液がおすすめ。ただし、皮脂の分泌量が充分な30代までは、必要以上に油分を与えないほうがいいので、乳液の中でも油分をあまり多く含まないものを選ぶのがポイント。

クリーム

●油分補給で使うなら……

敏感肌用のシンプルなものがよい。アトピー肌向けのスキンケアラインから探すと、安心で手ごろな価格（1000～3000円程度）のものが見つかりやすい。

●特別な美容効果をねらうなら……

レチノール：ビタミンAの一種。線維芽細胞に働きかけて、コラーゲンを増やす作用がある。目元用のシワ対策クリームなどには、レチノールがほとんど含まれている。

油溶性甘草エキス（グラブリジン）：甘草という漢方薬から抽出される美白成分。抗炎症作用を併せもつ。

※そのほかの美白成分はP158参照。

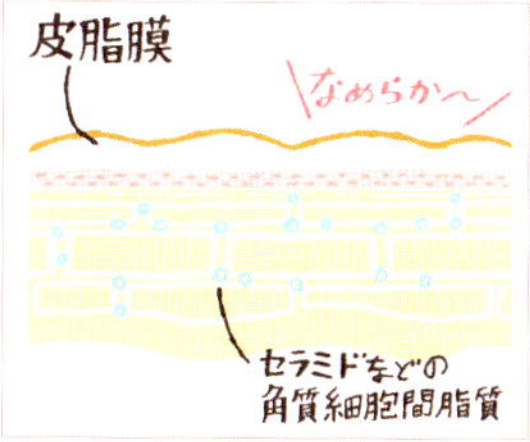

油分によって補われた皮脂膜が、なめらかさを保っている

肌もこれと同じ

How to

乳液

最近の乳液は、みずみずしいテクスチャーのものが多く、スッと肌になじんでいきます。あまり強くすりこんだりせず、やさしく肌の上をすべらせるように。

やりがち NG!

強くこすったり すりこんだりしてつける

肌への摩擦は、角層を傷つけるので絶対にNG。強くこすったり、すりこんだりしなくても、ちゃんと浸透するのでご安心を。

テカりがちな部分にも たっぷり塗っている

皮脂分泌が多くテカりがちな部分に油分を与えすぎると、皮脂が詰まってニキビなどの原因になることがあります。

OK こすらないように やさしくなじませる

1

手のひらに適量とって 頬へ広げる

乳液の取扱説明書に書かれている適量を手のひらにとったあと、両手のひらにのばし、頬から広げてなじませていきます。

2

細かい部分にも ていねいに

目のまわりや口元などにもていねいにのばしていきます。ただし、テカりがちな人は、額や小鼻などのTゾーンは控えめにしておきましょう。

OK テカりが気になるなら Tゾーンは控えめに

How to
クリーム

皮脂分泌の少ない部分を目安に塗ります。20〜30代なら目元や口元のみに、40代以降なら目元や口元にプラスして皮脂の足りない部分につけましょう。ふだんから自分の肌をよく観察しておくと、どこに塗ればいいのかわかるようになります。

やりがちNG!

強くこすったりすりこんだりしてつける
こする、すりこむなどの行為は、肌への刺激となり、角層を傷めかねません！

大量につけすぎ
皮脂分泌の少ない部分にのみつければ充分。つけすぎると、テカりなどの原因になってしまいます。

OK 皮脂分泌が少ないと感じる部分だけに塗る

1

目元や口元にピンポイントで塗る
適量のクリームを薬指にとり、皮脂腺の少ない目元や口元に、薬指でやさしくなじませていきます（目元や口元のほか、皮脂分泌があまり感じられない部分には、同じ要領で適宜つけていきます）。

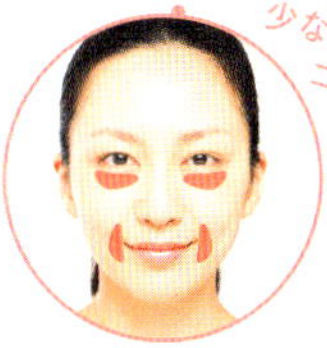
皮脂分泌の少ない部分はココ！

2

薬指でトントンとなじませて
目元や口元などの皮脂腺の少ない部分にだけ塗りたいので、ほかの部分に広がらないように薬指でトントンとやさしくたたくようになじませましょう。

OK やさしくたたいてなじませる

UVケア

老化を早める紫外線ダメージから肌を守る

シミ・シワ・たるみを招く紫外線の恐怖

UVは「ウルトラ　バイオレット　レイ」の略で、「紫外線」のこと。なんとなく「紫外線は美肌の大敵」とわかっていながら、うっかり日焼けをしてしまったり、UVケアが毎日できていなかったりする人も少なくありません。それは、紫外線の怖さをまだまだわかっていないからではないでしょうか。

紫外線の怖さは、ズバリ、肌の老化を早めること。紫外線を浴びた肌は、肌を守ろうとメラニン色素をつくり出しますが、それがうまく排せつされないと、シミの原因になります。また紫外線は真皮にまで到達して、肌の弾力を保っているコラーゲンを傷つけることも。それがシワやたるみの原因です。

つまり、肌の老化を確実に進行させるのが紫外線なのです。対策をしているか、していないかで5年後、10年後の肌は大きく変わってきます。

紫外線は暑さやまぶしさがないため、どのくらい肌が紫外線を浴びているのか実感できません。そこが紫外線の落とし穴。まだ大丈夫だと油断していると、ダメージは日々蓄積され、ある日突然、肌老化として急に現れるのです。

紫外線にはA波（UV-A）とB波（UV-B）があり、どちらも肌老化の原因になるので、両方を防ぐことが肝心です。

Science Watch

日焼け止めに使われる成分は2種類あることを知ろう

紫外線吸収剤

肌の上で紫外線を吸収する働きをもつ。科学的に吸収した光エネルギーを別のものに変換することで肌を守る。

代表的成分名

紫外線A波吸収剤
パルソールA、メギゾリルSXなど

紫外線B波吸収剤
桂皮酸、オキシベンゾンなど

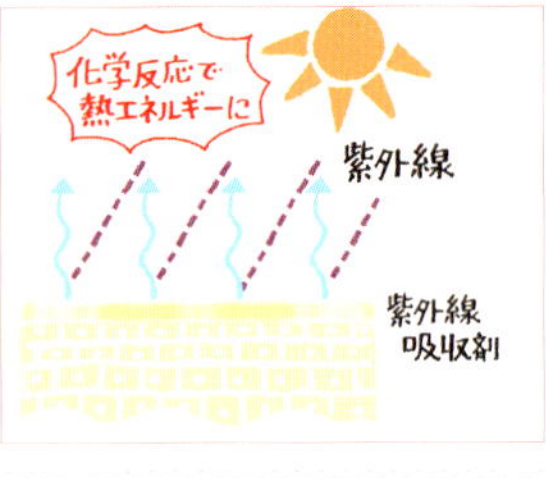

日焼け止め化粧品選びの3つのポイント

Point

SPF&PA

日焼け止め化粧品の表示には、紫外線B波のカット効果を示す「SPF」、紫外線A波のカット効果を示す「PA」があるので、両方を必ずチェックしましょう。アウトドアシーンなどで使うなら、SPF値やPA値の高いものがおすすめですが、数値が高いものやウオータープルーフのものは肌への負担が大きくなるので注意が必要。

紫外線B波をカットする力

SPF

B波は、エネルギーが強くサンバーン(赤くなってヒリヒリする日焼け)を起こす。SPFは何も塗っていない状態に比べて、赤くなってヒリヒリする状態になるまでの時間を何倍にのばせるかの目安。たとえばSPF10なら約10倍にのばせるという意味。ただし、肌に塗る量が少ないと効果は激減(次ページ参照)。

紫外線A波をカットする力

PA

A波は、真皮にまで到達し、ダメージを与えて老化を促進する。SPFだけで日焼け止め化粧品を選ぶ傾向にあるが、PAも重要な指標。「+」の数でカットの力を表している。+はやや効果がある。++は効果がある、+++は非常に効果がある、++++は極めて高い効果がある、という意味。

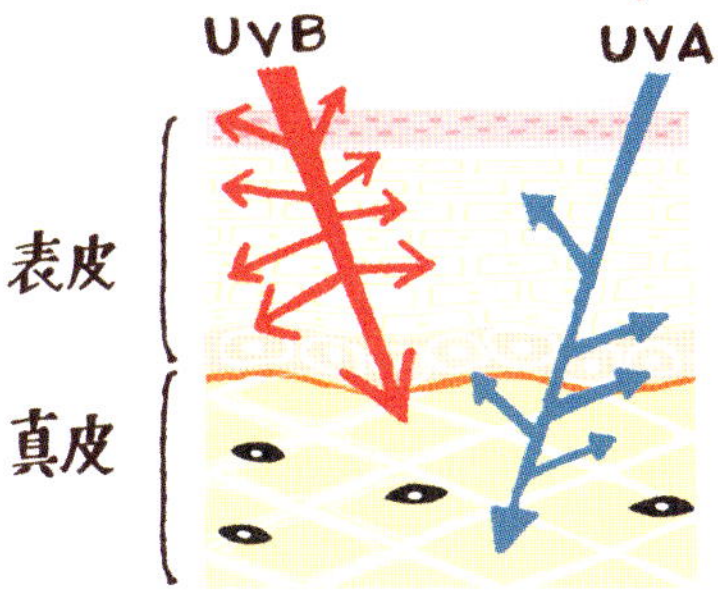

Point 2

紫外線吸収剤フリー

敏感肌の場合は、日焼け止め化粧品に入っている紫外線吸収剤(下記参照)が肌にとって刺激になることがあります。そこで紫外線吸収剤を含まないものを選ぶのがポイント。「紫外線吸収剤不使用」「紫外線吸収剤フリー」「ノンケミカル」などと表示されています。

Point

クリーム または乳液タイプ

ローション、スプレー、ジェルタイプなどは使用感のよさから、ベタつきや白浮きを嫌う人に人気ですが、ほとんどのものが吸収剤のみでできています。吸収剤を含まないノンケミカルのものは、クリームや乳液タイプの中にあることが多いようです。

紫外線散乱剤

紫外線を肌の上で反射させる物質のこと。金属を酸化させた粉体や細かい粘土質の粉などが用いられる。

代表的成分名

酸化チタン、酸化亜鉛、酸化セリウム、カオリン、タルクなど

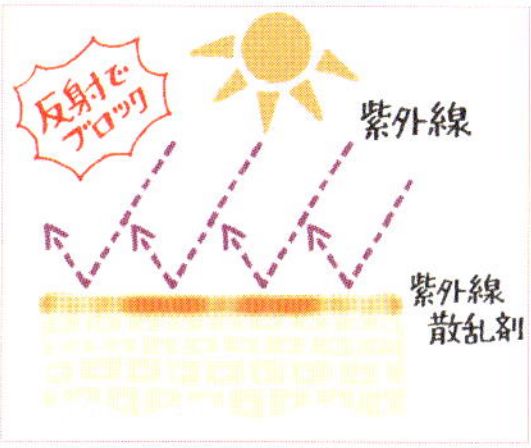

日焼け止めとして使える化粧下地について

日焼け止め効果のある化粧下地には、散乱剤ではなく、吸収剤主体のものが多いようです。散乱剤は白っぽくなりやすいため下地には不向きなのですが、肌のことを考えるなら、吸収剤を毎日顔に塗るのは考えもの。

日焼け止め化粧品は塗る量に注意

日焼け止め化粧品の効果は、塗る量が少ないと当然下がります。たとえばＳＰＦ値20のものを塗っても、量が少なければＳＰＦ値10程度の効果しか得られないこともあります。

日焼け止め化粧品のＳＰＦ値は、実際に人間の皮膚を使って測定します。その際に使用される量は、皮膚1平方㎝あたり日焼け止め化粧品2㎎。つまり、日焼け止め化粧品に表示されているＳＰＦ値は、そのぐらいの量で塗った場合の数値です。

ところがこれはかなりの量で、実際に女性が使っている量は、平均的にその約4分の1といわれます。その場合、効果は約20分の1に下がります。

日焼け止め化粧品はたくさんつけすぎると、ベタついてイヤという人もいるようです。その場合は、頬骨あたりだけ少し厚めに塗りましょう。紫外線によるシミは、頬骨あたりからでき始めることが多いからです。

日焼け止め化粧品の上にはパウダーファンデを重ねる

より確実に紫外線をカットするには、日焼け止め化粧品の上に、パウダーファンデーションを重ねると効果的です。

というのも、ファンデーションの色粉は、紫外線散乱剤と似ているからです。たとえば、レーザー治療をするときに、ファンデーションが肌に少しでも残っていると、レーザーの光が跳ね返されてしまうほど。パウダーファンデーションは、とくに日焼け止め効果をうたったものでなくても、ＵＶカット効果があるといわれます。

ファンデーションは、パウダータイプがおすすめ。リキッドやクリームタイプは界面活性剤の配合量が多く、肌あれの原因になることがあるからです。日焼け止め効果をうたったファンデーションもありますが、肌の負担になる紫外線吸収剤を含むことがあるので、あえてそのようなものではなく、普通のパウダータイプを選ぶほうがよいでしょう。

Science Watch

「日焼け止め化粧品だけ」の場合はしっかり塗るように

「家にいることが多くてメイクの必要もないし、日焼け止め化粧品だけしか塗らない」という人もときどきいます。しかし、日焼け止め化粧品だけを塗るならば、パウダーファンデーションだけを塗るほうが、シミになることは少ないようです。

実際に日焼け止め化粧品だけを塗って素肌でいる人は、シミができやすいようです。塗る量が少なすぎる人が多いことも関係しているのかもしれません。

うっかり日焼けにご用心

紫外線は、サンサンと陽が降り注いでいるときだけでなく、肌寒い曇りの日でも、たとえ短時間の外出でも、少しずつ浴びてしまっているのです。そのようなわずかな紫外線が、蓄積してシミやシワになるのです。左のようなシーンでは、紫外線を浴びないよう工夫したり日焼け対策をしたりして、充分に注意しましょう。

日陰にいても…

紫外線には、地表までまっすぐ届く「直射光」と空気中で四方八方に広がって地表に届く「散乱光」がある。日陰にいてもこれを浴びることに。散乱光の量も侮れない。

曇っていても…

紫外線は雲を通過して地上に届き、肌にダメージを与える。たとえ曇っていても、紫外線対策はぬかりなく!

晴れの日を100とした場合の通過率

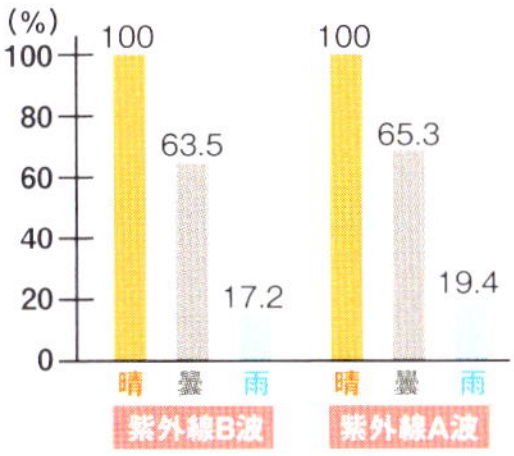

長袖で防備していても…

洋服の上からでも容赦なく通す紫外線。気づかないうちに日焼けをして、ムラになっていることも。UV加工の施されたカーディガンやストールなどを羽織るとよい。

涼しくても…

まだ涼しい春先から紫外線は増えていく。また山の上や高原などの標高が高いところでは紫外線は多くなる。標高の高いところに行くときは、万全の紫外線対策が必須。

短時間でも…

ちょっと洗濯物を干すだけ、ちょっと近所に買い物に行くだけ……。短時間でも紫外線のダメージを受け、シミの原因になる。

部屋の中にいても…

紫外線A波は、ガラスを通過するので、屋内や自動車内、電車の中にいても油断できない。

How to UVケア

日焼け止め化粧品を使うときのポイントは、ムラなく塗って、肌にすきをつくらないこと。ただし、季節を問わず、外を歩く時間が2時間未満なら日焼け止め化粧品は使わず、パウダーファンデーションだけでも充分です。

やりがちNG!

使用量が少ない

塗る量が少ないと顔全体に均一に塗れないうえ、ガードが甘くなりがち。

メイクがくずれたまま直さない

ファンデーションがくずれる＝UVケアもくずれているということ。放っておくと肌は確実に紫外線のダメージを受けてしまいます。

OK 使用量をきちんと守る

1

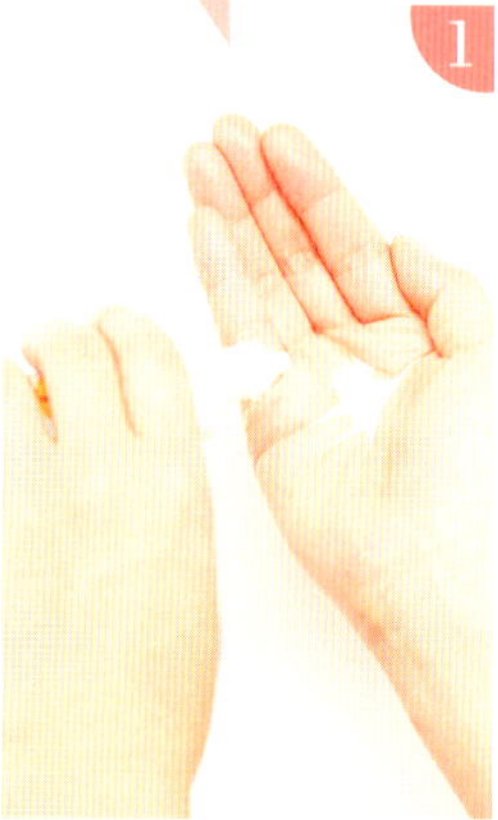

適量の日焼け止め化粧品を手のひらにとる

日焼け止め化粧品を適量手のひらにとります。量を守らないとUVカット効果が低くなる可能性があります。

2

顔全体に塗ったあと頬骨あたりに重ねづけ

中指や薬指を使って、顔全体にていねいにのばします。続いて、日焼けしやすく、シミができやすい頬骨あたりに重ねづけをします。

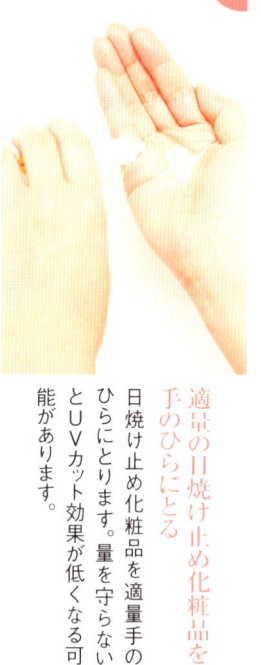

日常生活レベルの日焼け止め化粧品の目安

SPF	20
PA	++

SPF20は赤くなってヒリヒリするまでの時間を20倍にのばすもの。シミやシワができるまでの時間を20倍にのばすという意味ではない。また赤くなってヒリヒリするほどの日焼けをしていなくても、シミはできてしまう。つまりSPF20＝300分（5時間）というのはあくまでも目安である。

※外出が2時間以上の場合

いつもより念入りにUVケアが必要なのはいつ？

アウトドアを楽しむとき

夏の海や山、また冬のスキー場など、紫外線量が多いシーンで過ごす場合は、UVケアのSPF値を下記のように最高値のもので対応したほうが無難です。この場合も、ノンケミカル処方のものがおすすめですが、2、3日しか使わないのであれば、吸収剤入りでも大丈夫な場合もあります。ウオータープルーフタイプを使う場合は、製品の指示どおりクレンジングをしましょう。肌ダメージが強いので、ふだん使いは避けます。

生理前

生理前というのは、黄体ホルモンの分泌が多くなります。黄体ホルモンは紫外線感受性を高めるので、この時期は日焼けしやすくなります。妊娠中やピルを服用しているときも同様。そのため、いつもより念入りにUVケアを施す必要があります。

念入りUVケアの日焼け止め化粧品の目安

ノーマル肌	SPF	50
	PA	+++
敏感肌	SPF	30
	PA	+++

Detail technique

肌の調子がよくないときは〝ルースパウダー〟を使う

肌の状態がよくないときは、パウダーファンデーションよりも、さらに刺激の少ない「ルースパウダー（粉おしろい）」の使用をおすすめします。サラサラとしていて、肌になじみやすいのが特徴です。

3

ファンデーションを重ねる

より確実に紫外線をカットするために、パウダーファンデーションを重ねます。通勤などで外を歩く時間が2時間以内なら、ファンデーションだけでも充分です。

メイクが少しでもくずれてきたと思ったら、こまめに塗り直しましょう！

化粧品なんでもQ&A

今まで他人に聞けなかったことや、本当はどうなんだろう？　と気になっていたことって意外にあるもの。そんな素朴な疑問にお答えしていきます。ぜひ参考にして、肌トラブルのない美肌生活を送ってください。

Q 去年開封した日焼け止めや化粧水は使えますか？

A 保管状態がよければ、問題なく使えます

化粧品は食品と違って、生ものではありません。ほとんどの化粧品は、使っている最中に、雑菌が入ったとしても腐らないように、安全性を充分に考慮して防腐剤を配合しています。まったく開封していなければ、基本的には3年はもつといわれています。

また、開封していても、フタや栓さえしっかり締めてあれば、一年ぐらいは大丈夫。ただし、保管場所は冷暗所が基本です。直射日光のあたる場所や窓際などの温度変化の激しい場所に保管してあると、商品の色や中身が変化するおそれも。開けてみて、異臭やテクスチャーの変化を感じたら、使用をやめましょう。

Q 化粧水をつけるとしみるのですが使用をやめたほうがいいですか？

A 肌あれしているのですぐにやめてください！

「肌あれしている状態で、いろいろとつけると肌によくなさそうだから、とりあえず化粧水だけつけています」という患者さんがクリニックにもいらっしゃいます。でも、角層が乱れている肌には水分の多い化粧水ほど、刺激になりやすいのです。だから、しみるのであれば化粧水の使用はすぐにストップしてください。肌あれしているあいだは、ワセリンなどの低刺激のものだけをつけて、状態がよくなるまで待ちましょう。

皮膚科医　元化粧品開発者

Q 香料が肌を刺激するって本当？

A 昔は、香料が原因でシミになることがありました

今では、化粧品の原料の安全性が非常に高くなっているのでなくなりましたが、かつては、化粧品の香料が原因でシミになることやアレルギーの原因となることがありました。ですが、最近では精製技術の進歩によって、低アレルギー化も進んでいます。とはいえ、100％アレルギーや皮膚炎を起こさないというわけではありません。トラブルの発生率がきわめて低く、安全性が考慮されていますが、何らかの原因で、トラブルを起こす人もいます。その場合は、無香の化粧品もありますので、そちらを使ってみてください。

Q 無添加って、やっぱり肌にいいの？

A メーカーによって基準が違うので何ともいえません

「無添加」の定義づけが一般的に決まっていないので、メーカー各社で差があるのが現状です。おおよそ色素や香料などは入れず、また防腐剤なども最低限に抑えてあるものをさすようです。ただ、化粧品の安全性は近年とても高まっていますし、必要だから入れている成分でもあるので、無添加だから肌にいい・よくないとは、一概にいえないと思います。

Q メイクしたまま寝るとシミになるって本当ですか？

A 「メイクしたままでシミになる」はウソ！

メイクアップ料は基本的に安全な原料しか使っていません。肌に多少残っていても、それが原因で肌トラブルを起こすことはほとんどありません。それなら、クレンジングしなくてもいいのか、と思いますよね。どうしてクレンジングをするのかというと、化粧膜にほこりなどの汚れがつくので、肌を清潔に保って、肌がきちんと新陳代謝できるよう、その日の汚れはその日のうちに落としてください、ということ。また、メイクアップ料は肌の中に入っていくという話も誤解。現在使われているほとんどのメイクアップ料の色素は、粒子が大きいので肌には沈着しません。ただし、メイクアップ料は、大なり小なり油分を含むので、あまり放置するとニキビなどの原因になることもあります。注意してください。

Q オールインワンの化粧品はよいのでしょうか？

A あまりおすすめできません

オールインワン化粧品は、その手軽さから人気のようです。ただ、肌の状態や季節などによって、水分や油分の補給バランスを変える必要が出てきます。つまり、保湿美容液を夏は少なめ冬は多めにする、冬は口元だけクリームを足すという微調整です。オールインワン化粧品だとそれができません。たしかに便利ではありますが、肌は日々、季節や体調によって変化します。便利さのために、肌を犠牲にしては本末転倒ですね。

化粧品なんでもQ&A

Q 若いうちから高い化粧品を使うと、肌を甘やかすことになる？

A 逆に鍛えることになるというのが私の見解です

よく聞かれる質問ですが、こういった研究はなされていないので、結論は出ません。ですが、私個人の意見としては、若いうち（思春期の性ホルモンのアンバランスが落ち着いたあと）に高い化粧品を使っておくと、肌を鍛えられると思っています。老化が始まってからでは、マイナスのものをプラスへ引き上げる作業になります。しかしプラスである若い肌をさらなるプラスへと上げておくと、エレベーターのようにガクンとは落ちずエスカレーターのように老化がなだらかなのでは、と推測します。そうはいってもスキンケアは毎日続けるもの。高価だと続かないなら、経済的に無理のない価格帯のものを選んだほうがいいでしょう。

Q 化粧品はすべて同じブランドでそろえたほうがいい？

A できるだけ同じでそろえたほうがいいですね

化粧品は、薬事法にもとづいてつくられているので、基本的にはどの化粧品を組み合わせて使っても問題はありません。しかし、メーカーが努力して、もっともよい組み合わせでつくりあげるのが同じブランドのラインですから、浸透感や使い心地もよりいいはずです。

Q 化粧品は冷蔵庫で保管したほうがいい？

A 説明書に記載がなければその必要なし

特別に冷蔵庫保存の指示があるもの以外は、その必要はありません。逆に、冷蔵庫への出し入れによる温度変化で化粧品が傷んでしまうこともあります。多くの化粧品は通常の使用条件の中で安定に保たれるように処方や容器の配慮や工夫が施されているので、室温保存で充分なのです。ただし、日のあたる場所などには置かないこと。

Q 同じ化粧品を使い続けていると肌が慣れてきてしまい効果が薄れるというのは本当ですか？

A 劇的な変化はなくても継続使用の肌効果が出ていくはず

たしかに、最初に使ったときの感動的な使用感とか肌効果実感が薄れていくことはあると思います。しかし、肌に合った化粧品を使い続けることで、肌は健康的な状態を保ち、結果として最大限効果が出ているものです。化粧品は本来、薬ではないので、このような継続使用での効果を期待するものと考えたほうがよいのです。

Base

基礎メンテナンス

Part 4

内側からのスキンケアで肌体力を底上げ

すこやかな体づくりで芯から輝く肌へ

正しいスキンケアをしても、なかなか肌あれやニキビが治らない……。それは、体の内側がＳＯＳを発信している証拠かも。肌と体には密接な関係があり、体が健康でないと、肌はきれいにならないのです。

みなさんのふだんの生活はどうでしょうか？　自信をもって、食事や睡眠、運動などが毎日きちんとできているといえますか？

この章では、正しいスキンケアを続けつつも、睡眠や食事、運動など、体の内側からメンテナンスをしていく方法を伝授していきます。体の内側から肌体力を底上げできるよう、日常生活を正して、すこやかな体と素肌を取り戻していきましょう。

美肌の早道は「食べる」よりもまずは「寝る」

内側からきれい

＊ Keyword

1 睡眠

睡眠中に体内で行われていること

体の内側からのケアというと、食事を第一に思い浮かべる人が多いようです。けれど、じつは「食べる」よりも「寝る」ほうが肌をよみがえらせる力をもっています。そこで、睡眠の重要性をまず説明しましょう。

たとえば、夜更かしをした翌日、一日中だるかったり、頭痛がしたりするなど、体調が悪くなりがち。この不調の原因は、夜寝ているあいだに、肌を含む体全体が修復されているからなのです。修復は血液を通して行われるのですが、起きて活動している日中は、血液のほとんどが脳に集中します。そのため、肌には栄養が行き渡りません。寝ると、血液は体の各所に流れ始め、肌にも栄養が行き渡るようになるのです。

さらに、眠り始めの約3時間のうちに成長ホルモンの分泌が盛んになるといわれています。この成長ホルモンによって、肌内で細胞分裂が起こっているのです。肌や内臓の修復にはトータルで、最低でも6時間くらいはかかっているといわれているので、睡眠が6時間をきってしまうと、だれでも肌あれする可能性が出てくるというわけです。

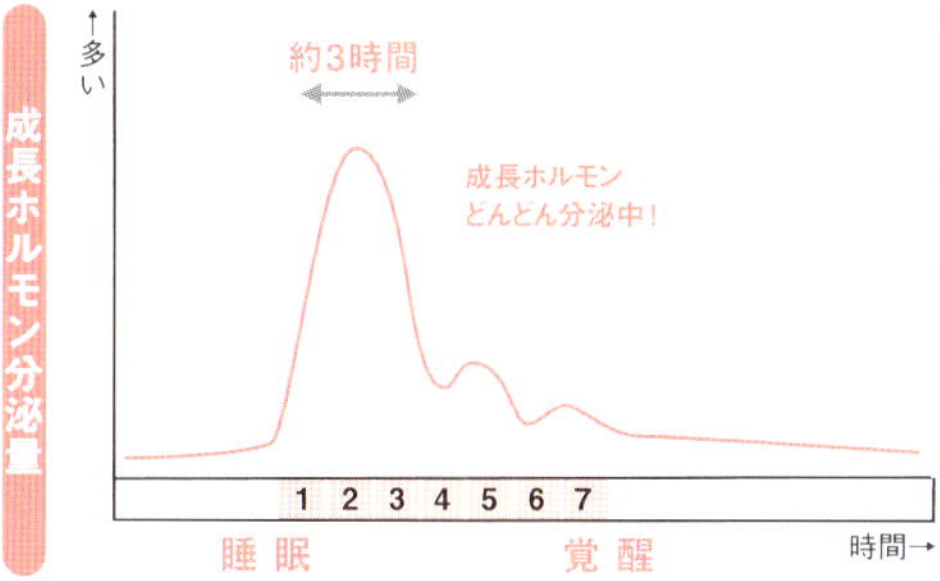

肌がもっとも活発に生まれ変わるのは、成長ホルモンの分泌が高まる睡眠直後約3時間といわれている。

肌の再生は、毎晩、このようにして行われているので、毎日の睡眠がいかに大切かわかると思います。

肌のゴールデンタイムには絶対に寝るべき？

夜10時〜深夜2時は、肌のゴールデンタイムとされ、そのあいだに睡眠をとるのが美肌のルールといわれています。これは原始の時代から人間の体に刻まれた体内時計（サーカディアンリズム）にしたがった生活をすべきという説にもとづいた話です。

ところが現代社会でこれを実践するのは、なかなか困難です。この現代で考えると、およそ午前0時から半までに寝るようにすればいいでしょう。

また、就寝時刻を一定させることも大切です。毎日ベッドに入る時間が異なるのは、体内時計を乱すのでよくありません。成長ホルモンは、体内時計の影響を大いに受けていますから、寝る時間が毎日異なると、スムーズに分泌されなくなってしまうのです。

毎日遅くとも午前0時半までの、同じ時間に寝るようにすると、肌の状態もよくなってくることでしょう。

内側からきれい

＊ Keyword

1 睡眠

美肌をつくる質のよい睡眠とは？

ただ眠るだけでは効果を得られない睡眠の奥深さ

みなさんは、深くて質のよい睡眠をとれていますか？　前述したとおり成長ホルモンの多くは、睡眠に入ってはじめの約3時間のあいだに分泌されるので、とくにこの時間の睡眠が深くて良質な必要があります。

それにはまず、寝る環境を整えることが大切です。最近では、寝る直前までパソコンを見ていたり、携帯電話でメールを打っていたりと、脳が活発に動いたまま、ベッドに入っている人が少なくないようです。これでは、深い睡眠はなかなか難しくなってしまいます。寝る1時間くらい前から寝室の照明を暗めにしてみましょう。そうすると、メラトニンというホルモンが分泌されて、睡眠への準備が始まります。

もし、外の明りが気になるようなら、遮光カーテンを使うなど、睡眠を邪魔されない環境に整えて眠ることも大切です。

睡眠のサイクルを理解して上手に活かす

気持ちよく起きられる睡眠をとることも大事になります。そのためには、眠りのサイクルを調整するといいでしょう。

睡眠は、眠りの深い「ノンレム睡眠」と眠りの浅い「レム睡眠」が1時間半ごとに交互に訪れています。したがって、6時間、7時間半というように、1時間半の倍数で睡眠のサイクルを設定すると、いいリズムになりやすく目覚めやすいのです。

とはいえ、寝始めにやってくるのがノンレム睡眠、目覚めの準備に入りやすいのがレム睡眠ですので、睡眠時間は6時間や9時間といった3時間ごとになるのが理想的です。

目が覚めたら、次の睡眠のリズムに入らないように、体を起こしましょう。部屋を明るくしたり、目覚めに水を一杯飲んだりすると、スッキリと目覚めやすくなります。

美肌力アップ！

快眠を得るための7つのコツ

コツ1 のどが渇いたらノンカフェインのハーブティーを

コーヒーや紅茶、緑茶に含まれるカフェインは、脳を刺激し覚醒させます。20時以降は控えるようにしましょう。寝る前に飲むならホットミルクやハーブティー（眠気を誘うのはカモミール）がおすすめです。

コツ2 アロマオイルを活用

香りでリラックスへ導くアロマを焚いてみるのも一案。ラベンダー、カモミール、マンダリンなどのオイルが眠気を促すといわれています。

コツ3 難しい内容の本を読む

人間の脳は安定を好むので、難しい物事に出合うと休む方向に働きます。就寝前に難しそうな内容の本を読むのもおすすめです。逆に夢中で読んでしまう本は、脳が冴えることになります。

コツ4 ストレッチやヨガなどの軽い運動をする

息が上がらない程度の軽い運動で少し体温を上げ、体温が下がりだしたころにふとんに入れば、眠りのスイッチが入りやすくなります。ただし、激しい運動は逆効果です。

コツ5 就寝1時間前から照明をダウン

眠りを促すメラトニンは、陽が落ちて目に入る光の量が減ると分泌量が増えます。明るい照明のついた部屋は、昼間と同じ状態になるので、眠気を催しにくくなります。就寝前にリラックスタイムを設け、照明を暗めにしてくつろぎましょう。

コツ6 下着などの締めつけを避けて

きつい下着やインナーを着て寝ると、血行が悪くなって眠りを妨げてしまいます。靴下も必ず脱ぐようにしましょう。

コツ7 枕の高さは7cm前後がベスト

一般的には仰向けに寝たときに、正しく立ったときと同じ首のカーブになるように支えてくれるのが、体に合う枕です。首の後ろにあたる部分が女性の場合7cm前後、後頭部にあたる部分が5cm前後の高さのものが理想です。

食べて叶える美肌は
内側から煌めく
強靭なオーラを放つ

内側からきれい

2 * Keyword 食事

バランスよく栄養素をとることが基本

美肌のための食事というと、ビタミンを意識したサラダなどの野菜中心の食事を連想されがちです。でも、栄養素は単独で作用するものではありません。いろいろな栄養素をバランスよくちゃんととり、それが体の中で充足してはじめて、その効果が現れるものなのです。肌によいとされる栄養素はいろいろありますが、ビタミンなど特定の栄養素ばかりたくさんとったところで、美肌になれるというものでもないのです。

さらに、最近ではダイエットのためといって、肉や魚などのたんぱく質を避ける女性もいます。ところが、このたんぱく質こそが体や肌をつくっている大素《おおもと》ですから、たんぱく質をとらないでいると、肌が不調になるだけでなく、疲れが出たり、体力が衰えたり、睡眠が浅くなったり、朝起きづらくなったりと、さまざまな弊害をもたらしてしまいます。こんな状態でビタミンばかりとっても効果は出ないのです。

ですから、美肌食の基本は、たんぱく質もビタミン類もバランスよくとること。そして、ふだんの食生活で足りなくなりそうな栄養素

肌をつくるもとになるたんぱく質は不可欠。
肉や魚はもちろん、野菜もバランスよく
しっかりとりましょう！

を、先取りしてとる習慣をつけておくことが大前提なのです。

栄養士

やみくもに野菜を食べていても効果なし！

野菜の中でもとくに美肌のために意識してとりたいのは、β《ベータ》カロテンを含む緑黄色野菜です。なぜならβカロテンは、抗酸化作用が高く、体の中でビタミンAとして働き、皮膚や粘膜を強くして、肌あれや老化を予防する効果があるからです。これはほうれんそうやにんじんなどに多く含まれています。そのほか、じゃがいもやカリフラワーなどに多く含まれるビタミンCも、美肌にとってとても有効な栄養素です。

でも、若い女性の多くは、ランチの添え物としてあるサラダや野菜ジュースをとって、たくさん野菜を摂取していると誤解しています。しかしサラダに入っているレタスやきゅうりはビタミンの含有量が少ないですし、そもそも生野菜は体を冷やしてしまいます。体が冷えると、血行不良になり、肌に栄養が行き届かなくなるおそれがありますので、生野菜のとりすぎには注意が必要です。

一日に必要な摂取量や具体的な栄養素については次ページでご紹介しましょう！

主な野菜のビタミン含有量

	ビタミンA（レチノール活性当量）（単位μgRAE）	ビタミンC（単位mg）
レタス	20	5
きゅうり	28	14
トマト	45	15
ほうれんそう	350	35
にんじん	720	6
ブロッコリー	67	120
にら	290	19
チンゲン菜	170	24
赤パプリカ	88	170
大根	0	12
カリフラワー	2	81

※100ｇあたりの数値

この3栄養素がカギだった!

美肌を叶える黄金トライアングル

Triangle

太るイメージからか敬遠されがちな肉や魚。外食などではとりにくいビタミンAやC。これらが不足していた人は、3つの栄養素を参考に今日から食生活を見直しましょう。もちろん、これだけ食べていても美肌にはなりません。バランスよくいろいろな食品を食べてはじめて、これらの栄養素がうまく利用されるのです。

週末に「とりだめ」できて意外にとりやすい

肌を丈夫にしうるおいを保つ ビタミンA

抗酸化作用があり、また肌や粘膜を強く丈夫にする栄養素。植物性食品の中では、βカロテンとして存在し、体内でビタミンAとして働きます。にんじん、ほうれんそう、かぼちゃ、小松菜、トマトなどの緑黄色野菜に多く含まれます。

一日の摂取量とおすすめ調理法

摂取量の目安は、緑黄色野菜を一日に100g以上食べることです。100gというと、多そうに感じるかもしれませんが、かぼちゃの煮物は1皿100gくらいあるし、ブロッコリーも1食分で100g程度あるので、意識すればすぐにとれる分量です。また、ビタミンAはとりだめできる栄養素。だから、「今週は外食に偏ってしまった」と思ったら、週末などの時間があるときにたっぷりとってみてください。

調理法でおすすめなのは、炒めたり蒸したりする方法。油を加えたり加熱したりしたほうがβカロテンの吸収がよくなります。

※ビタミンAは、過剰にとると妊娠中の場合には胎児に影響が出ます。薬でビタミンAをとることは極力控えましょう。食品から普通に摂取するぶんには安全です。

サプリメントへの疑問

?

ビタミンなどを手軽にとるのに、サプリメントはたしかに便利です。でも、野菜などの天然のビタミンと比べてしまうと、体内での吸収率が明らかに異なります。

ビタミンBやCのサプリメントをたくさんとると、尿が黄色くなって排せつされてしまいますが、野菜などをどんなにとっても尿が黄色くなることはないからです。できるだけ食事からとったほうがよさそうですね。

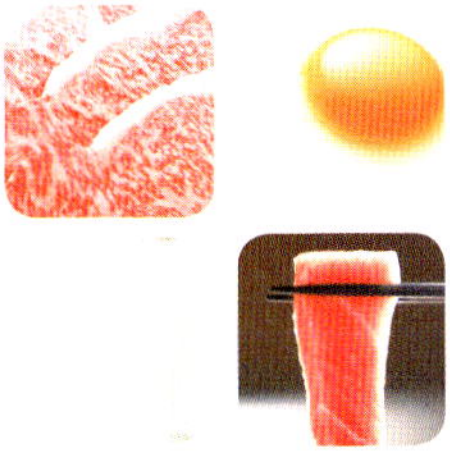

毎食とって
体のベースを整える

肌の材料となる たんぱく質

肌をつくる根本的栄養素。たんぱく質があってはじめて、ビタミンなどの栄養素をいわば運用でき、すこやかな肌ができるのです。毎日適量とることで代謝も上がります。

一日の摂取量とおすすめ調理法

1食あたり赤身の肉や魚を中心に50 ～ 60g、ほかにプラスして一日で卵1個と牛乳や乳製品をコップ1杯くらい摂取するのが最低ラインです。肉や魚などをとると、脂質のとりすぎを心配する人もいますが、調理法を蒸したり、ゆでたり、ソテーしたりと、シンプルにすれば安心です。

習慣にして毎日ちょこちょこ

保湿・美白・アンチエイジングに有効 ビタミンC

ビタミンCにも抗酸化効果があり、紫外線に対する抵抗力をつけるのに適しているといわれています。ビタミンCといえばレモンとイメージされがちですが、赤パプリカなどの緑黄色野菜はもちろん、じゃがいもやカリフラワーといった淡色野菜にも多く含まれています。果物なら柿やいちご、キウイなどに多く含まれますが、果物は糖分が多いのでとりすぎには注意。

一日の摂取量とおすすめ調理法

摂取量は、淡色野菜200gが目安です。ビタミンCは、必要以上に体内に入ると、尿として排せつされてしまうため、とりだめができない栄養素。なので、毎日、少しずつでもとるよう心がけましょう。

また、ビタミンCは熱に弱い性質があります。生でとるのがおすすめです。ただ、生よりは加熱したほうが体を冷やさないし、量もたくさん食べられます。短時間の加熱にするなど工夫して、とにかく毎日とる習慣をつけることが重要です。

効率よく３栄養素がとれる！
黄金トライアングルレシピ

＊＊＊Triangle Recipe

美肌に必要なたんぱく質・ビタミンA・ビタミンCの3大栄養素を効率よくとれる、おいしいレシピを紹介します。どれも手軽につくれるものばかり。今日からぜひ実践してみてください。

ブロッコリーとパプリカとスモークサーモンのフライパンパスタ

たんぱく質　ビタミンA　ビタミンC

材料(2人ぶん)

スパゲティ…180g(1.6ミリ9分ゆで)
ブロッコリー……………………100g
赤パプリカ…………………………1個
スモークサーモン………………100g
A 塩……………………小さじ1/2
A オリーブ油……………大さじ1
A 水……………………………2カップ
牛乳……………………………1カップ
卵 ………………………………1個
塩・黒こしょう…………………各適宜

つくり方

1. ブロッコリーは小房に分け、さらに半分に切る。パプリカはせん切りにする。
2. スパゲティは半分の長さに折る。
3. Aを直径26㎝程度のフライパンに入れ、フタをして中火で煮立て、煮立ったらフタをとり②を入れてよくまぜる。
4. よくまぜながら再沸騰させ、フタをして5分煮る。
5. フタをはずし、手早く麺をほぐし①と牛乳を加え、よくまぜながら水分がなくなるまで3～4分煮る。
6. 卵を加えてまぜ、塩こしょうで味をととのえる。器に盛り、サーモンをのせる。

「今週、ちゃんとしたものを食べられなかった」人の
週末リセットメニュー

焼き根菜のマリネ ビタミンA

材料（2人ぶん）

にんじん……………………1/2本（80g）
れんこん……………………150g
いんげん……………………15本（80g）
オリーブ油……………………大さじ1

A
しょうゆ……………………大さじ3
みりん……………………大さじ2
ハチミツ……………………小さじ2
酢……………………小さじ1

つくり方

1. にんじんは皮つきのまま8㎜厚さの輪切り、れんこんも皮つきのまま同様に切る。
2. いんげんは、さっと洗う。
3. 直径24～26㎝のフライパンに中火でオリーブ油を熱し、①②の野菜を焼く。強火で3～4分かけて上下を返しながら焼き色をつけるように焼く。
4. 熱いうちにAに漬け込んで味をなじませる。

究極の美肌
朝食
みそスープは前日の晩に
つくっておいても

トマトといんげんのみそスープ

ビタミンA
ビタミンC

材料(2人ぶん)

トマト………1個(200g)
いんげん…10本(50g)
水………1と1/2カップ
バター……… 小さじ1
みそ………… 大さじ2

つくり方

1. トマトはヘタを取って乱切りにし、いんげんは半分の長さに切る。
2. 直径20㎝程度の鍋に①と水、バターを入れて中火にかけ、煮立ったら弱火で5分煮る。みそを溶き入れる。

塩ゆでほうれんそうとパプリカの温泉卵・チーズのせ

たんぱく質
ビタミンA
ビタミンC

材料(2人ぶん)

ほうれんそう……100g
赤パプリカ…1/2個(50g)
市販の温泉卵……2個
スライスチーズ……2枚
A マヨネーズ…小さじ2
A ケチャップ…小さじ2

つくり方

1. ほうれんそうは長さを三等分し、パプリカは乱切りにする。
2. 直径20㎝程度の鍋に3カップの熱湯を沸かし、塩小さじ1/ 2を入れて①を入れ、30秒さっとゆでたら、ざるにあげて器に盛る。
3. ②に、ちぎったチーズをちらし、温泉卵を割ってのせる。Aをかけ、まぜながらいただく。

レンジでかぼちゃの煮物

ビタミンA　ビタミンC

材料(1人ぶん)

かぼちゃ ………100g
刻み白ごま……小さじ1
A しょうゆ…大さじ1/2
A みりん…… 大さじ2
A 水………… 大さじ2

つくり方

1. かぼちゃはところどころ皮をむき、2cm角に切る。
2. 直径20cmの耐熱ボウルに皮を下にして並べ、Aを全体にからめてラップをふんわりかける。600Wの電子レンジで4分加熱する。
3. 上下を返し、ごまをふって味をなじませる。

たたききゅうりの梅和え

材料(1人ぶん)

きゅうり…………1/2本
梅干……………小1個
ごま油・練りわさび……各小さじ1/4

つくり方

1. きゅうりはヘラで押さえてつぶし、割る。
2. ちぎった梅干、ごま油、練りわさびを加えて和える。

にんじんのポークロール

たんぱく質　ビタミンA　ビタミンC

材料(1人ぶん)

にんじん…1/3本(50g)
豚肩ロース薄切り肉 ……………… 3枚
塩 ……………… 少々
しそ………………4枚
小麦粉………小さじ1
オリーブ油……小さじ1
A しょうゆ…大さじ1/2
A 水………… 大さじ2
A カレー粉………少々

つくり方

1. にんじんはせん切りにし、塩をふる。
2. 肉を広げてしそをのせ、①の等分を置いて豚肉を巻き、全体に小麦粉をまぶす。巻くときに端がはみ出してもOK。
3. 直径24 ~ 26cmのフライパンにオリーブ油を中火で熱し、表裏を2分ずつ焼く。火から外し、Aを加えてフタをし、全体にからむまで弱火で2~3分火を通す。

おろしれんこんと豆腐の薬味スープ

たんぱく質　ビタミンC

材料(2人ぶん)

れんこん………100g
絹ごし豆腐……150g
水…………1/2カップ
塩…………小さじ1/3

A
万能ねぎ……少々
ザーサイ………少々
白ごま…………少々

つくり方

1. れんこんは皮をむいてすぐに、水・塩を加えた直径20cm程度の鍋にすりおろしながら加える。
2. 豆腐を①に加えてつぶす。
3. 中火にかけ、絶えずかきまぜながらとろみがつくまで煮る。
4. 盛りつけてAをのせる。まぜながらいただく。

海老とアスパラ・きのこのチリソース炒め

たんぱく質　ビタミンA　ビタミンC

材料(2人ぶん)

海老(殻つき)…10～12尾(200g)
アスパラ…6本(100g)
エリンギ……2本(100g)
酒……………大さじ1
塩………………少々
片栗粉………大さじ1
ごま油………大さじ1

A
ケチャップ…大さじ2
みそ………大さじ1
豆板醤…小さじ1/2
酒…………大さじ1
水………1/4カップ

つくり方

1. 海老は背に切り目を入れて酒と塩をからめて5分おき、水気を軽くきり、片栗粉をまぶす。
2. アスパラはピーラーで固い部分をむいて乱切りにする。エリンギは長さを半分に切り、縦四つ割りにする。
3. 直径24～26cmのフライパンにごま油を熱し、海老を表裏2分ずつ焼いて取り出す。
4. すぐに、アスパラ・エリンギを2分炒め、Aを注いで煮立てる。海老を戻し、とろみがつくまでソースをからめながら煮る。

美肌の大敵 便秘をリセット！

肌あれや吹き出物の原因は便秘では？解消に役立つ食材とメニューをご紹介。

便秘と肌あれの関係

肌によくない……と認識してはいるものの、便秘に悩む女性は多いようです。では、なぜ便秘は肌によくないのでしょうか?

便秘により腸内細菌のバランスが乱れ悪玉菌が増え、それが活性酸素を発生して老化を促進します。また善玉菌が減少し、美肌にとって必要なビタミンB群の合成が妨げられることも関係しているといわれます。腸と肌は深い関係にあるのです。

食事での便秘攻略法とは？

便秘対策として、ふだんから心がけておきたいことは、食物繊維や乳酸菌などをなるべく食べることです。食物繊維は、根菜類やコーン、きのこ、こんぶ、ひじきなどに多く含まれていますし、乳酸菌はヨーグルトなどの発酵食品からとることができます。

そのほか、ビタミンB群、鉄、各種ミネラル、食物繊維などがバランスよく含まれている玄米もおすすめです。

便秘解消おすすめレシピ

切り干し大根とにんじんのドレッシング漬け

材料(つくりやすい量)

切り干し大根……30g
にんじん……1本(150g)

塩…………小さじ2
砂糖………大さじ2
酢………大さじ3〜4
オリーブ油…大さじ4

シナモン…少々(2〜3ふり)
ベビーリーフ……適宜

つくり方

1. 切り干し大根はかぶるくらいの水を注ぎ、もみ洗いして汚れた水を捨て、10分くらい水に漬けて戻す。
2. にんじんはよく洗い、皮つきのまま斜め薄切りにしてからせん切りにする。
3. ①の水気をしぼり、②と合わせてAの調味料に漬け込んでもみまぜ、30分以上おき味をなじませる。
4. シナモンをふり、ベビーリーフを添える。

根菜のトマト煮

材料(つくりやすい量)

ベーコン…………4枚
たまねぎ…1/2個(80g)
れんこん ………150g
ごぼう…小1本(100g)
キドニービーンズの缶詰またはゆで大豆…100g
トマトの水煮缶…1缶(400g)
オリーブ油……大さじ2

ケチャップ…大さじ2
みそ ……… 大さじ2

つくり方

1. ごぼうは2cm幅の縦半分・れんこんは皮つきのまま1.5cm角に切り水にとる。たまねぎも同様に切る。ベーコンは1cm幅に切る。
2. ごぼう・れんこんは熱湯で5分ゆでる。
3. 直径20cmの鍋にオリーブ油を中火で熱し、ごぼう・れんこんを入れて2分、ベーコン・たまねぎを入れて2分炒める。
4. 豆・トマトの水煮缶・Aを順に加えてひとまぜし、フタをして煮立ったら弱火で40分煮る。

ちょっとした心がけの
積み重ねが美肌の
大きな実りになる

内側からきれい

3 * Keyword

飲み物

「水を一日2ℓ飲む」はウソ

ペットボトルの飲料が登場し、手軽に持ち歩けるようになったからか、冷たい飲み物を通年飲む女性が増えています。その代表的なものがミネラルウオーター。「水を一日2ℓ飲むといい」という俗説があるのも一因かもしれません。でもだれでも一律に2ℓ飲めばよいというのもおかしな話ですよね。

それは、汗の量や運動量などから、必要な水分の量は人によって異なるからです。水分は、のどが渇いたら飲む程度で充分なのです。

ところが、現代人は水分をとりすぎる傾向にあります。のどが渇いてもいないのに、なかば義務感で飲んでいる人が多いようです。

水を飲みすぎると、胃腸が冷えたり、むくみを招いたりします。むくむと肌の代謝も悪くなり、美容に悪いので注意してください。

カフェインは美肌の敵！

コーヒーや紅茶、日本茶などに多く含まれているカフェイン。カフェインは神経を興奮させ、また血管収縮作用もありますので、とりすぎは体にも肌にも悪いのです。日本人の

多くはカフェインの摂取に無頓着なようですが、カフェインを含むものは一日2杯までにとどめるようにしましょう。

また、寝る前にカフェインをとると、睡眠にも影響が出るので、これだけは避けるようにしてください。カフェインは栄養ドリンクにも入っていることが多いので、気をつけましょう。

季節を問わず温かい飲み物がベスト

皮膚科医

冷たい飲み物は体を冷やし、代謝を悪くさせます。ふだんからなるべく温かい飲み物を飲む習慣をつけておくと、美肌にもつながっていきます。

美肌のためには、カフェインを含まない温かいハーブティーがいちばんおすすめです。朝は気分がスッキリするミント、日中はビタミンCをたっぷり含んだローズヒップや免疫を高めるエキナセアなどのハーブティーを選ぶといいでしょう。

また、お風呂上がりなど、ほてった体を鎮めたいときでも、なるべく常温のものを飲みましょう。冷たいものをがぶ飲みするのは避けて。夜は、眠気を誘ってくれるカモミールティーがおすすめです。

しょうがパワーを味方につけて冷え知らず！

体を温める食材として知られるしょうが。じつは、漢方薬にもよく使われるほど多彩な効果を発揮する食材です。

漢方では、しょうがは体を温めて発汗させ、胃腸を整えて吐き気を止めるとされています。料理にしょうがをなるべく使ったり、また紅茶やハーブティーにしぼり汁を入れて飲むのもいいでしょう。

冷えが気になるときや胃がムカムカするとき、風邪のひき始めなどには、とくにおすすめですよ。

座りっぱなし生活を送っている人ほど美肌効果を実感しやすい

内側からきれい

＊Keyword

4 運動

運動習慣は健康的な素肌をもたらす

美肌になるためには、まず健康でなければなりません。健康であるためには〝食べる・動く・寝る〟、この3つが大切になります。ところが、最近の女性は、残念ながらこのうちの〝動く〟をもっともないがしろにする傾向にあります。3要素のうち、どれが欠けても健康にはなれません。それはすなわち、美肌も遠のいてしまうということ。

最近は、パソコンを使う仕事が主流となり、一日の大半を座りっぱなしで過ごす女性が増えています。そこで、運動不足が招く体への影響を考えてみましょう。

まず挙げられるのが血行不良による頭痛、肩こり、腰痛などがあります。さらに、むくみや冷え。そして、便秘になる人も多いようです。体を動かさずに、頭だけを使っているので、不眠にも陥りやすく、気分も沈みやすくなるといわれています。

健康面だけでもこれだけの悪影響があります。これを美容面で考えると、血行の悪化で、くまができやすくなり、むくみからセルライトができることも。そのほかにも、不眠症ぎみになるとストレスがたまり、ニキビや肌あ

れになりやすいのです。

肌にとってさまざまな弊害があることがおわかりいただけたはず。これらを防ぐには運動がいちばんです。

気分爽快！血流もよくなるウオーキングのすすめ

運動をするとなると、お金を払ってジムに行ったり道具をそろえたりしなくちゃならないからめんどうと考える人も多いようですが、わざわざそんなことをしなくても、ただ「歩く」だけで充分な運動になります。一日20分くらいのウオーキングを、週2回程度から始めてみてはいかがでしょうか。

ただし、だらだら歩いていては効果がありません。また革靴やヒールのある靴でのウオーキングは、足の変形やむくみの原因になるので不向き。歩きやすいスニーカーなどを履いて、荷物も持たず、足早に歩くことが肝心です。

まったく運動していなかった人が少しでも運動をすれば、肌も体調も変わってくるものです。ウオーキングを習慣にすると血行がよくなるので、熟睡できるようになったり、冷えが緩和されたりします。肌のくすみがとれる、くまが薄くなるという効果も期待できます。ほんの少しでも始めた人から健康と美肌が手に入ります。

そのほかおすすめの運動は

ウオーキングは手軽にできる運動としておすすめですが、もちろんそれ以外の運動でもかまいません。ただし、ジムに入会するつもりの人は、まずウオーキングを1か月ほど続けてから、それが続くようだったら入会することをおすすめします。いきなりジムに入っても、結局は続かなくなり、それがストレスやトラウマになっている女性をよく見かけるからです。

ウオーキング以外では、下記のような運動がおすすめです。

● ジョギング

ウオーキングよりも短時間で血行がよくなるなどの効果が得られる。まずはわき腹が痛くならない程度の速さで10分ほど走る。つらくなったら少し歩いて、また走る。週1回15分行うとよいが、たとえたった5分でもやればやっただけの効果がある。

● 水泳

水圧で血行が促されるので効果的。水中ウオーキングは、ひざが故障している人には向いているが、普通の人には軽すぎるので、陸上でのウオーキングのほうがよい。

● 筋トレ

腹筋やスクワットなどは、筋肉が鍛えられて基礎代謝を上げ、やせやすい体をつくる。ぽっこりお腹がへこんだり、姿勢がよくなったりと、いいことずくめなので、運動に慣れてきたらぜひトライを。

寝る時間をけずってまで浴槽につかる必要はない

内側からきれい

＊Keyword

5 入浴

半身浴神話のウソ

美肌のためにと必死で半身浴に励んでいる女性が多いようです。

それはなぜかというと、半身浴で代謝が上がって、やせやすくなったり、肌がきれいになったりすると、世間では信じられているからです。

でも、代謝アップのために本当に必要なのは運動。外から温めるのではなく、自分の力で温めないと、代謝は上がらないのです。

半身浴はもともと、肥満や高血圧などの生活習慣病の患者さん向けに推奨されていたもの。家庭内での脳卒中や心筋梗塞などの突然死のほとんどが、浴室で起こっていたからなのです。そのため、血圧を急に変動させないよう、みぞおちのところまで湯につかる半身浴が推奨されたという経緯があります。これを若い女性がこぞって行うというのも、ナンセンスな話ですよね。

入浴で毛穴の汚れは落ちない

半身浴で汗をかくと、毛穴の汚れが落ちるとか、デトックスできるなどといわれますが、

これも正しくはありません。そもそも汗は、体温調節をするためにあるもので、出てくるものといえば、水分の中にアンモニアや塩分などの水溶性の排せつ物が含まれている程度です。毛穴の汚れも体内毒素も、ほとんど汗からは排せつされません。

しかも、半身浴で汗をかくのが習慣になっていると、汗腺が活性化されているので、夏場などに汗をかきやすくなってしまいます。半身浴もほどほどにしないと、美容にマイナスになるということです。

本当に肌にいい入浴方法とは？

お風呂につかると肌がうるおうとか、冷え性が緩和するなどと、入浴に過剰な期待を寄せている女性も多いようです。しかし入浴そのものには、美肌効果は期待できません。

湯船に長くつかっていると、肌がうるおった気分になるかもしれませんが、皮膚のうるおい成分であるセラミドなどがお湯の中に溶け出し、かえって乾燥を招くことにも。また体はポカポカ温まるものの、それは一時的なもの。冷え性が解消することはありません。

入浴のメリットは、美肌づくりに直結するというより、じつはストレス解消や筋肉のリラクゼーションなどの間接的な効果にあります。体がポカポカと温まれば、筋肉や神経の緊張がほぐれ、ストレスも解消できます。

また入浴後の体温降下時は、眠りのスイッチが入りやすいとき。入浴して20〜30分でベッドに入ると、寝つきがよくなります。このようにして質のよい睡眠がとれれば、美肌につながります。

では、本当に肌にいい入浴方法は何かというと、じつは全身浴で10分〜15分程度つかれば充分です。何時間も半身浴するぐらいなら、そのぶん早く就寝したほうが、よっぽど肌にとってはいいことなのです。

皮膚科医が教える

肌質のブレに対応するための3つのキーワード

① 生理とホルモンの関係

2種類の女性ホルモンが肌を支配している！

「生理前になると、必ずニキビができてしまう」「生理が近づくと、脚がパンパンにむくむ」「生理痛が重い」など女性にとって生理は気分が沈みがちなもの。このように、ホルモンのバランスが変化する生理は、肌にも体にも大きな変化をもたらします。

まずは、女性特有の２つのホルモンについて説明しておきましょう。

肌の不調をもたらす「黄体ホルモン」

女性ホルモンの一つに「黄体ホルモン（プロゲステロン）」があります。これは生理前に分泌されるホルモン。この黄体ホルモンは、皮脂分泌を増やしてニキビやシミをできやすくさせるといわれています。むくみやイライラのもとになっているのも、このホルモンです。

生理前の肌は、ふだんよりも敏感になる傾向にあるので、美白やアンチエイジングなど

生理周期と女性ホルモンの関係

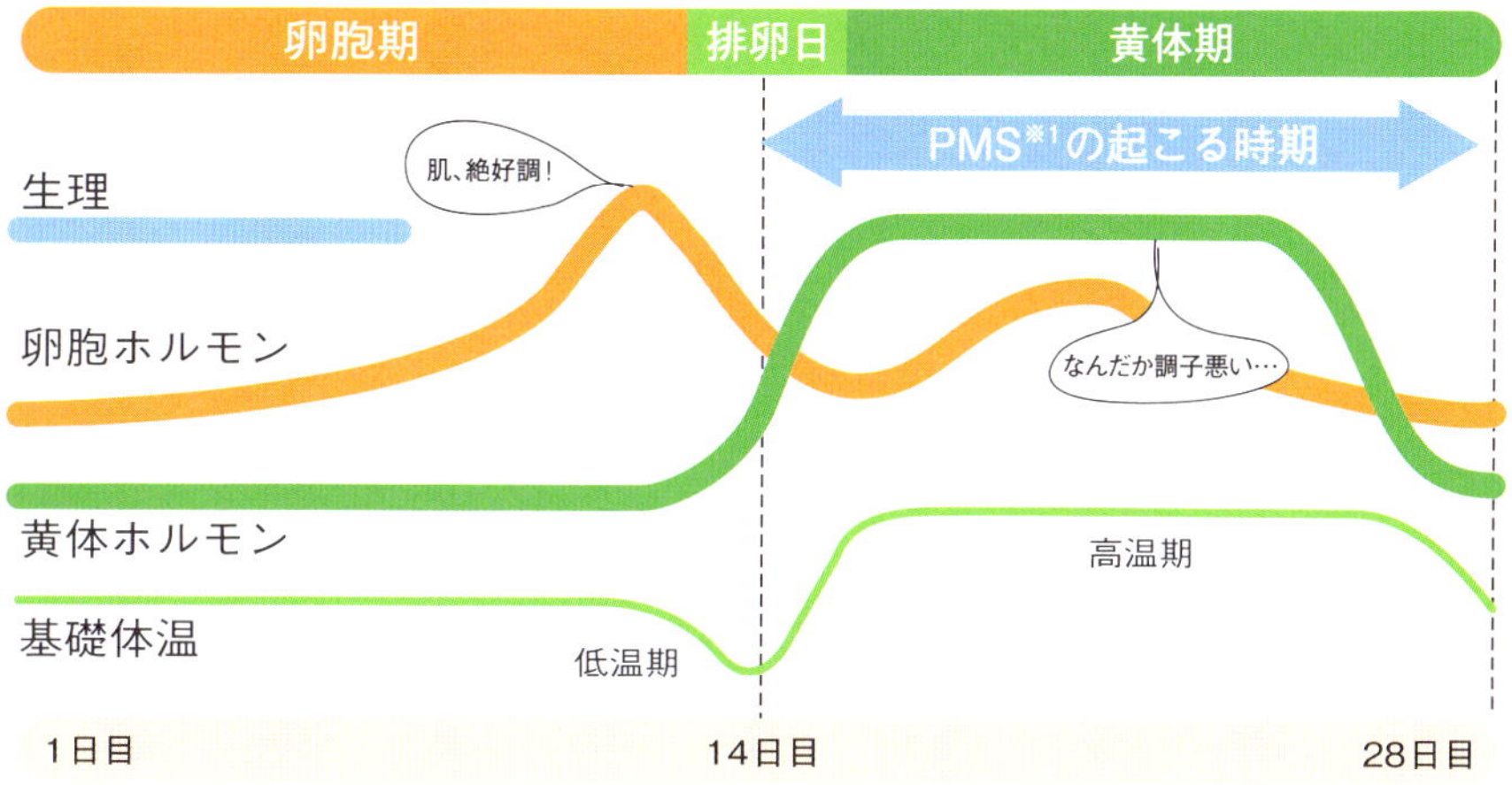

※1　PMS／月経前症候群。排卵後から月経直前にかけて体調不良や肌あれ、精神的な症状が出る。

の積極的なお手入れは控えましょう。保湿中心のシンプルなケアに徹するべきです。ただ、シミができやすいので、ＵＶケアはしっかりと行いましょう。

また、生理前にニキビができる人も多いもの。黄体ホルモンの影響で皮脂分泌が増えることが関係しているので、この時期は、とくに洗顔で皮脂をきちんと落として、油分の少ない化粧品で保湿することが大切です。

でも大人ニキビができるのは、ストレスや不規則な生活によるホルモンバランスの乱れが最大の原因です。ふだんの生活が不規則だったり、日ごろからストレスがたまったりしていると、生理前の肌や体調の不安定が、いっそう強まってしまうのです。

肌の好調をもたらす「卵胞ホルモン」

もう一つの女性ホルモンが「卵胞ホルモン（エストロゲン）」です。これは生理後に分泌が高まるホルモンで、肌をみずみずしくうるおし、コラーゲンを増やすなどの作用があり

1 生理とホルモンの関係

年齢にともなうエストロゲンの減少

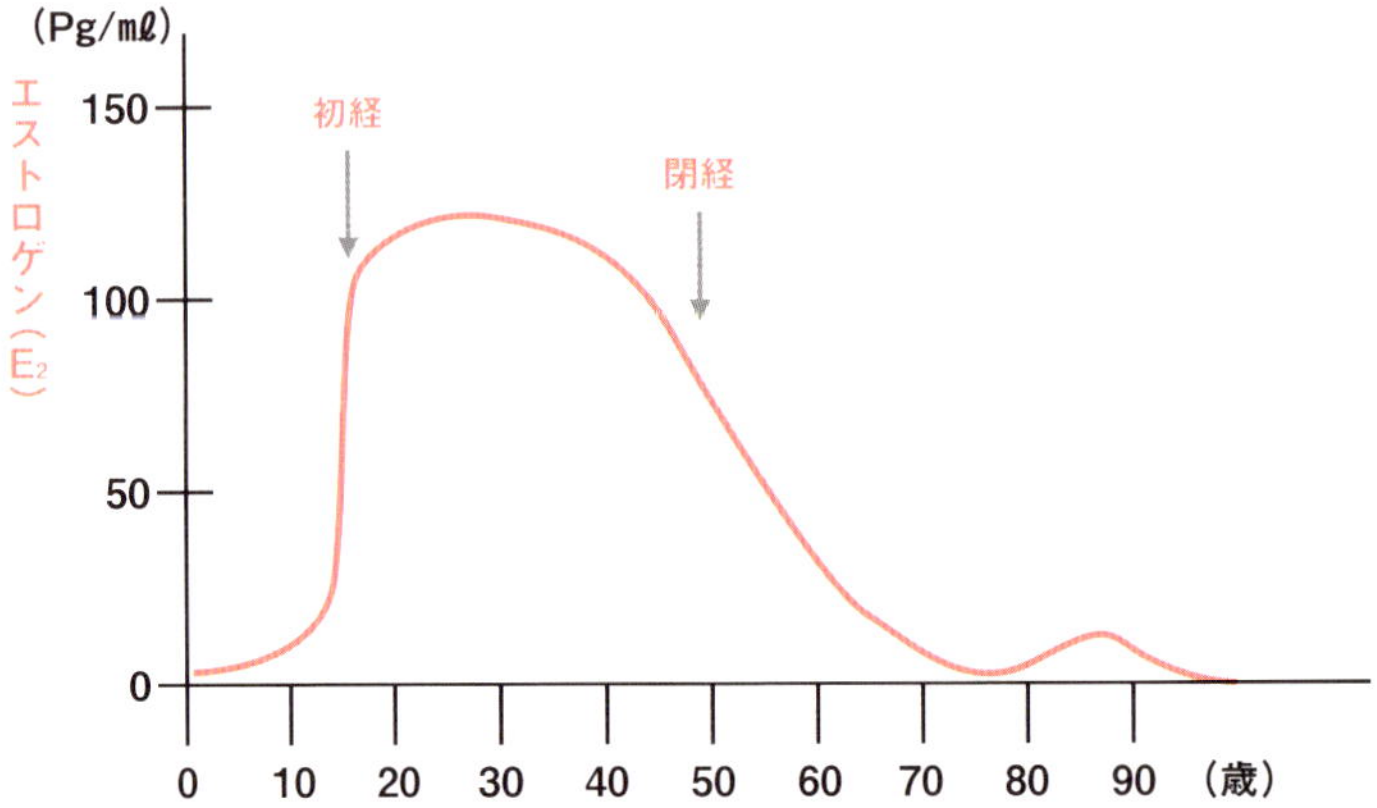

ます。そう、美肌はエストロゲンに大きく影響されているのです。

　エストロゲンのそもそもの働きは、生理周期をキープして妊娠に向けた体づくりをすること。そのため、無理なダイエットをしたり過度なストレスがかかったりすると、エストロゲンが低下し、生理不順などが起こり、肌の老化はみるみる早まってしまいます。生理はまさに、美肌と健康のバロメーターといえるのです。

　エストロゲンは生理の始まる思春期ごろから急に増え、30代後半から減り始めます。そして閉経を迎えるころには急激に低下してしまうのです。この分泌量を守るには、健康的な生活を送ることが大切です。

　また、大豆などの女性ホルモン様作用のある食品も、老化を遅らせるのに役立ちます。納豆を一日1パック、もしくは豆腐半丁くらいを目安に摂取しましょう。

　とくに、エストロゲンの分泌が高まる生理後の肌は、とても安定しているので、美白やアンチエイジングなどの「攻め」のお手入れをするのにうってつけです。また、新しい化粧品を試す時期としてもいいでしょう。

Column

ホルモンバランスを整えるための治療

ホルモンとは、各臓器から血液中に分泌され、微量ながらも人体のさまざまな活動に大きな影響を与えている分泌物です。一生涯かけても、スプーン2杯分くらいしか分泌されないといわれています。

ホルモンにはさまざまな種類があり、微量でも人体に大きな影響力をもっているため、体内での量を厳密にコントロールされています。よって、ホルモンバランスが乱れているからといって、ホルモン剤などでむやみに増やしたりするのは危険。安易にホルモン剤などを服用してしまうと、体内でつくるぶんを減らしてしまうことに!そのため、特定の病気の治療以外には使わないものなのです。

ホルモンバランスを整えるには、規則正しい生活を送るのがいちばんです。薬などで簡単に調整できるものではないと考えて。

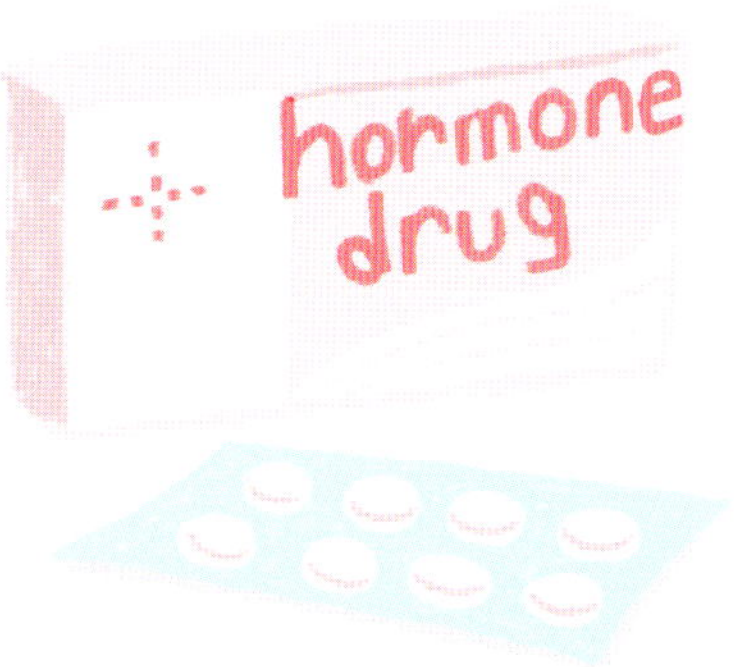

❷ ストレスからの防御術

ストレスでニキビ＆老化が進む

現代女性とストレスは、切っても切れない関係。また、本人が自覚していない「見えないストレス」もあるといわれます。ストレスというのは、その人の弱い部分に症状となって現れるもの。ストレスで下痢になる人がいれば、胃が痛くなる人、生理が遅れる人、肌があれる人など、さまざまなタイプの人がいます。

では、どうしてストレスがさまざまな症状を引き起こすのかを説明しましょう。

ストレスを受けると、体内に活性酸素が発生します。この活性酸素が細胞を傷つけ、肌老化を促進してしまうのです。また、免疫も低下するので、アクネ菌が繁殖してニキビができたり、すでにあるニキビが大きく膿《う》んだりします。

そのほかにも、ホルモンバランスが乱れて生理が遅れたり、自律神経が乱れて下痢や不眠になったりと、ストレスはさまざまな影響を及ぼすのです。

ストレスをなくすことができればよいのですが、そうもいかないもの。ストレス対策には、まずはたくさん動くこと。運動は自律神経を安定させます。きちんとした食事をし、ゆっくり寝ることも大切です。

そのほか、香りは気分を落ち着かせる作用があるので、アロマテラピーの力を借りてみるのもいいでしょう。東洋医学でも、香りは〝気〟をめぐらす作用があるとされています。

3 季節の変わり目対策

不安定になったときは化粧品の数を減らす

季節の変わり目に、肌があれたり、不安定になったりする人は少なくありません。そんな状態に陥ってしまうと、どうしていいのかわからなくなってしまい、むやみに化粧品を替えてしまう人も多いようです。

季節の変わり目の肌対策としては、肌の免疫や抵抗力が弱っていることが考えられますから、刺激の強い美白やアンチエイジング化粧品の使用はやめましょう。さらに、もし化粧水などの水分の多い化粧品がしみるようなら、一時的に使用を中止し、クリームやワセリンなどの油分の多いもので皮膚を保護して様子をみるのが賢明です。1週間程度、様子をみて落ち着いてきたら、セラミドなどを配合した保湿美容液を塗って、バリア機能を健全な状態につくり直していきます。

アイテム数は極力減らして、肌に最低限必要なものだけを塗ることが、肌あれのときの鉄則だと覚えておいてください。

そのほか、睡眠時間や食生活、ストレスのたまり具合など、日常生活も見直していく必要があります。肌あれは肌の表面だけでなく、体の内側に要因があることも往々にしてありますので、なるべく規則正しい生活を心がけてください。

Pinpoint

ピンポイントメンテナンス

Part 1

肌悩み解決の完全テクニック

3人の専門家が教える
美肌テクニックの
すべてがここに

基本のスキンケア方法は、肌に負担をかけないシンプルな方法がベスト。でも、急にニキビができたり肌あれしたりすると、それぞれの悩みに対応したケアを施したい人も多いはず。

そこで、この章では肌悩み別のアプローチ方法をご紹介していきます。皮膚科医・元化粧品開発者・栄養士の3人のエキスパートが、外側&内側から肌を美しくする完全テクニックを一挙公開！　ただやみくもに「ニキビ対策」「シミ対策」などとうたわれている化粧品に頼るのでなく、自分の悩みの原因を考え、それに合わせた的確なケアをめざしましょう。

この悩みに
Pinpoint

乾燥

カサカサする、粉がふく、ひび割れる……

肌内部にある保湿物質が働かなくなると乾燥する

「保湿成分」と聞くと、多くの人が化粧品に配合されているもので肌の上から塗るもの……と思っているのではないでしょうか。でもじつは、人間の肌にはもともとうるおいを守る保湿物質があるのです。

なかでも有力なのが角質細胞間脂質と呼ばれるもの。これは角質細胞のあいだにあって、水分の蒸発を防いでいる脂質の一種です。いろいろな脂質がまざり合って構成されていますが、その約40%を占めるのがセラミドで、最強の保湿物質といわれます。

これらの脂質（保湿物質）の量が減ったりして正常に働かなくなると、肌内の水分を抱えていられなくなり乾燥してしまうのです。肌の中にある保湿物質の生産量は年々、老化とともに減るため、肌は乾燥しやすくなるのです。

また、角層の水分量が減り乾燥状態が続くと、肌は硬くゴワゴワしてきます。これは、角層が厚くなっていくため。

角層には本来、外の刺激から肌を守る働きがあります。乾燥とは、角層のバリア機能が損なわれている状態なので、肌は「角層をもっとつくろう」と、細胞の生産を速めるのです。すると、その生産ピッチに追いつけない、未熟な細胞が表面に出てきてしまうことに。これではきちんとしたバリアの役目を果たさないので、角層は、さらにどんどん厚くなろうとし始めます。こうなるともう悪循環で、凸凹した変に厚みのある角層ができ上がってしまうのです。

この悪循環にはまらないために行うべきケアは、保湿です。この保湿の正しいテクニックをご紹介していきましょう。

✕カン違いスキンケア

- □ 乾燥したら、とにかく化粧水をたっぷりつける
- □ 化粧水をたっぷり含んだシートマスクでケア
- □ 水分が肌に浸透するように100回パッティング
- □ ベタつきが気になるから化粧水だけしかつけない

のしくみ

うるおった角層

セラミドなどの保湿物質が水分をしっかりキープ！

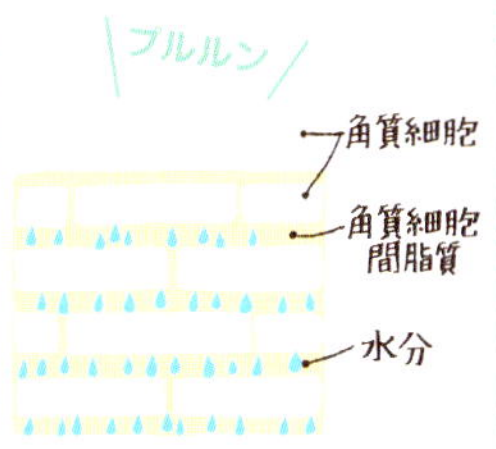

水分が不足した角層

保湿物質が減ってしまって、水分はどんどん蒸発。

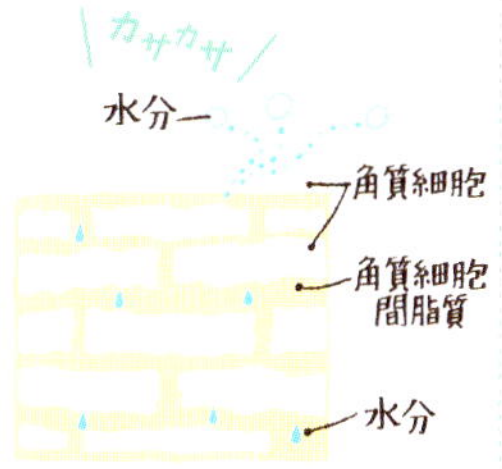

化粧水をたっぷりつけるよりも「保湿成分」を与える

化粧水＝保湿ケアは間違い

保湿はスキンケアの基本ですが、毎日ケアをしていても「肌が乾燥するんです」という方があとを絶ちません。そこで、どんなケアをしているのかよくよく聞いてみると、原因がわかってきます。

多くの女性が、化粧水などで水分を補うことが保湿だとカン違いしているために乾燥から脱却できないのです。まずは「化粧水＝保湿ケア」という概念を捨ててください。

正しい保湿ケアとは、肌内部の水分を抱えて離さない、保水力のある成分を配合した美容液などを与えることです。つまり、前述（P32～43）したように従来の化粧水を含ませたシートマスクでのケアや化粧水の重ねづけも、正しい保湿とはいえません。

セラミドやヒアルロン酸などの保湿成分を配合した美容液を与え、肌の保水力を高めるのが本当の保湿です。

保湿成分が入った美容液で日中もうるおいを補給

化粧水スプレーはよけいに乾燥を招く

日中、オフィスにいるとエアコンなどの影響で肌が乾燥してくることがあります。その際、よくスプレータイプの化粧水を顔に吹きつけている人がいます。しかしそれでは、化粧水が乾くときに肌の水分までいっしょに蒸発して奪われてしまうので、いっそう乾燥を招きます。

うるおいを補う正しい保湿のしかたは、セラミドやヒアルロン酸などの保湿成分を配合した美容液を手のひらにとって広げ、乾燥した部分に軽く押さえるようにつけること。こすらなければ、メイクはくずれません。

日中に乾燥する原因は保湿ケア不足！

日中に肌が乾燥するということは、ふだんの保湿ケアが足りていない証拠。とくに朝のケアでは、ファンデーションがくずれるからという理由で、乳液やクリームなどを省きがちな人が多いようです。でも、日中に乾燥しては元も子もありません。きちんと肌になじませてからファンデーションを塗れば問題はないはずです。

手持ちの保湿アイテムを見直し、朝もしっかり保湿をしてみてください。

「どうしても乾く」ときは美容液をセラミド配合に

皮膚科医

セラミドは最強の保湿成分

保湿成分の配合された美容液などを使っていても、まだ肌が乾燥する場合の対処法をお教えしましょう。それはズバリ、保湿成分のなかでも効果の高いセラミド配合の美容液に変えてみることです。

速効性があるセラミドは、継続して使えば肌の水分を増やすこともできるので、乾きにくい肌をつくれるのです。

もし、すでにセラミド入りの美容液を使っているのに、まだ乾燥するならば、その美容液のセラミド含有量が少ないおそれがあります。使用している商品を見直すのもよいでしょう。40代以降の場合は、水分だけでなく油分も減少するため、セラミド入りの美容液の上にクリームなどを重ねて、油分も同時に補給するといいでしょう。

また、ターンオーバーが高まるピーリングなどの角質ケアを続けると、もともと肌に存在するセラミドを少しずつ増やすことができます。

いろいろ試して、肌に合う保湿ケアを見つけてください。

肌の水分量と皮脂量の変化

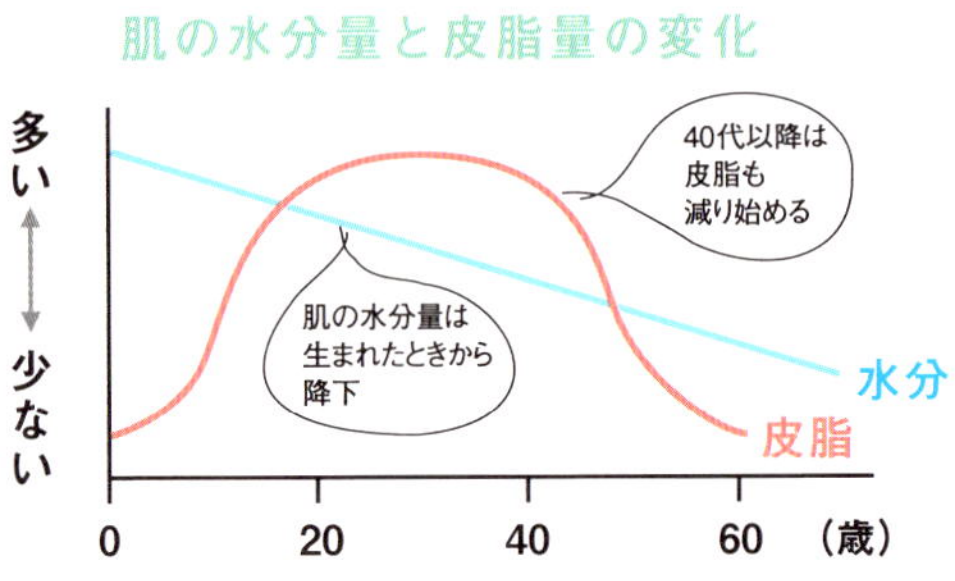

すぐれた保湿力のセラミドで
赤ちゃんのようなプルルン肌に

肌の奥までしっかりうるおう保湿パックで集中ケア

洗い流すタイプの保湿パックがおすすめ

乾燥すると、肌色がくすんでメイクのりも悪くなりがち。乾燥が進むと表面の角質が厚くなるので、保湿美容液をつけてもなかなか奥まで浸透しません。

このような場合におすすめなのが保湿パックです。集中的に肌の奥にうるおいを与えるので、乾燥肌の即効ケアになるのです。

保湿パックにも種類がありますが、クリーム状もしくはゲル状の、塗って洗い流すものがよいでしょう。

最近は、手軽さからシートパックがはやりですが、あらかじめシートに含ませてあるものは防腐剤などの添加物が多く、かぶれることがあります。また紙のシートに化粧水を含ませるものもありますが、化粧水では保湿力が弱い上、紙の繊維が刺激になることも。

肌に塗ってから時間をおいて洗い流すタイプのものが、肌にやさしく、保湿効果も高いのです。

「特別な日」だけでなく日常使いが基本

洗い流すタイプのパックは、手軽にふだんのケアに取り入れられるのも魅力。週に2回程度を目安に、継続的に使いましょう。うるおった肌は透明感を増し、メイクのりもよくなります。

あまりに乾燥がひどいなら クリームだけを塗る

低刺激のクリームとUVカットで対処を

乾燥がひどくなると肌のバリア機能が低下し、肌あれを起こします。化粧水がしみたり、かゆみを感じたりすることもあります。そんなときは、しみるものはやめ、ワセリンや低刺激のクリームなどで水分の蒸発を防ぐのみにとどめます。

また、乾燥してあれている状態でも、紫外線対策は必要。クリームを塗ったあとに、パウダーファンデーションかルースパウダー（粉おしろい）を重ねてケアしましょう。

このケアを1週間ほど続ければ、肌は徐々に回復してくるはずです。

その乾燥、アトピー性皮膚炎では？

もし乾燥と同時に強いかゆみをともなったり、目のまわりだけ赤くカサカサしたりする場合は、アトピー性皮膚炎の疑いがあります。アトピー性皮膚炎というと、子どものころに発症するイメージがありますが、最近では大人になってから発症する〝成人型アトピー性皮膚炎〟も増えています。乾燥肌だと思っていたらアトピーだったという人も。下記のチェックでアトピー性皮膚炎の疑いがあれば早めに皮膚科受診を。

チェック項目

- □ 目のまわりと首だけが赤い
- □ かきむしるほど、もしくは眠れないほどのかゆみがある
- □ 季節の変わり目に症状が悪化する
- □ 子どものころ、アトピーもしくはぜんそくがあった
- □ ダニかハウスダストのアレルギーといわれたことがある
- □ 手の爪の、つけ根の部分がかゆくなる
- □ ひじやひざの内側に湿疹ができやすい
- □ かくとすぐに皮膚がジュクジュクになる

チェックの数が多いほどアトピー性皮膚炎の疑いが高まります

☑0〜2　低　☑3〜5　やや可能性あり　☑6〜8　かなり可能性あり

パウダーファンデーションは乾く肌の強い味方

リキッドやクリームタイプは肌への負担に注意

パウダータイプのファンデーションは、肌が乾燥する人ほど「もっと肌が乾きそう……」な気がするからか敬遠されがち。たしかに、パウダーは皮脂や水分をいくらか吸収します。

でもそのぶん、セラミド入りの美容液などで、ベースの肌がしっかりお手入れできていれば、何の問題もないはずなのです。

リキッドやクリームタイプのファンデーションは、粉体を液体の中に分散させるのに界面活性剤を使っているほか、水分を含んでいるので防腐剤も入っています。その結果、肌への刺激になりかねないのです。

一方パウダーファンデーションは、それらの添加物が少なく、アレルギーを起こすおそれも少ないもの。また、メイクを落とすときも、リキッドやクリームタイプのほうが肌に密着しているぶん、落としにくく負担がかかります。

つまり、乾燥していたり敏感になっていたりするときは、パウダーファンデーションを選ぶほうが安心だといえます。

完全テクニック 7

肌のうるおいを食事面から補給する

ビタミンや鉄分をとってみずみずしい肌を保つ

栄養士

肌の乾燥が気になるときに、積極的に補給したい栄養素はビタミン類です。とくに、肌にうるおいをもたらすビタミンAは必須。ビタミンAはターンオーバーを調整し、本来のみずみずしくすこやかな状態で新しい肌が生まれるのをサポートします。ビタミンAは、レバーや緑黄色野菜に豊富に含まれます。

また乾燥肌は、血行不良によって代謝が悪くなり、ターンオーバーが乱れた結果起こることもしばしば。血行を促す働きのある鉄分をとると効果的です。

とりたい栄養素とおすすめの食品

（100gあたりの含有量）

鉄		ビタミンA	
レンズ豆（乾）	9.0mg	鶏レバー	14000μgRAE
鶏レバー	9.0mg	うなぎ（かば焼）	1500μgRAE
刻み昆布	8.6mg	モロヘイヤ	840μgRAE
しじみ	8.3mg	にんじん	720μgRAE
高野豆腐	7.5mg	春菊	380μgRAE
牛レバー	4.0mg	ほうれんそう	350μgRAE
あさり	3.8mg	とうみょう	340μgRAE
がんもどき	3.6mg	西洋かぼちゃ	330μgRAE
納豆	3.3mg	大根の葉	330μgRAE
菜の花（和種）	2.9mg	ルッコラ（ロケットサラダ）	300μgRAE
小松菜	2.8mg	にら	290μgRAE
枝豆	2.7mg	小松菜	260μgRAE
厚揚げ	2.6mg	かぶの葉	230μgRAE
牛ヒレ	2.4mg	菜の花（和種）	180μgRAE
そら豆	2.3mg	チンゲン菜	170μgRAE
ほうれんそう	2.0mg	プルーン（乾）	110μgRAE
かつお	1.9mg	赤パプリカ	88μgRAE
大豆（水煮）	1.8mg	ミニトマト	80μgRAE
ルッコラ（ロケットサラダ）	1.6mg		

※野菜にはβカロテンの形で含まれ、体内でビタミンAに変換されます。

乾燥肌を制す究極レシピ

うるおいをもたらす優秀食材のオンパレード！

大豆・玄米のサラダ　鉄　ビタミンA

材料（2人ぶん）

ゆで大豆 ……………………100g
玄米………………炊きあがり100g
ミニトマト………………10個(150g)
サラダほうれんそう……………30g
生ハム ……………………………4枚
ピーマン……………………………1個
かぶ ………………………………50g
　オリーブ油………………大さじ1
　酢…………………………大さじ2
　塩…………………………小さじ2/3
　砂糖………………………小さじ1
レーズン……………………大さじ2

つくり方

1. ミニトマトはヘタをとって四つ割りに切る。ほうれんそうはざく切りにする。生ハムはちぎる。ピーマン、かぶは5mm角に切る。
2. 大豆・玄米にAを加えてまぜ、①とレーズンをざっくりまぜる。

大豆とひじきのきんぴら

ビタミンA

材料(2人ぶん)

ゆで大豆……………………………100g
ひじき…………大さじ4(戻して120g)
にんじん………………1/2本(80g)
ごま油……………………………大さじ1
　砂糖……………………………大さじ1
　しょうゆ…………………………大さじ2
　酒………………………………大さじ1
七味唐辛子…………………………少々

つくり方

1. ひじきはさっと洗ってからたっぷりの水につけて20分おき、水気をきる。にんじんは太めのせん切りにする。
2. 直径24 ～ 26cmのフライパンに大さじ1のごま油を熱し、大豆・ひじき・にんじんを加え、さっとまぜる。
3. Aを回し入れ、2 ～ 3分炒めて水分がなくなるまで炒め、七味唐辛子をふる。

この悩みに
Pinpoint

ブツブツしている！ 大きくなってきた？

毛穴

「毛穴」という言葉の落とし穴

黒ずみが気になる、開きが気になるなど、毛穴で悩む女性は多いようです。毛穴の悩みは、クリニックでの相談内容でも、つねに上位にランクインするもののひとつ。しかし、毛穴ほど、一般の人が正しく理解できていないものはないのではないでしょうか。

雑誌などで目にしたことがあるかもしれませんが、毛穴は基本的に、毛の横にちょこんと小さな皮脂腺があるという構造になっています。でもじつは、よく見かけるその毛穴の図は、顔の毛穴ではなくボディの毛穴の図であることが多いのです。

じつは顔の場合は、ボディに比べて皮脂腺が大きく発達しています。そのため毛穴が目立ちやすいのです。

顔は、頭皮に次いで皮脂腺が発達している部分でもあります。しかしその皮脂腺に対して、毛はとても小さめです。つまり、顔の毛穴の主役は、毛ではなく「皮脂腺」。毛穴というよりは、むしろ「皮脂腺穴」と呼ぶべき状態なのです。

毛穴が目立つのは汚れのせいじゃない！

顔の毛穴の主な役割は、皮脂腺の分泌です。「毛穴が汚れているのでどうにかしたい」という相談を受けることもありますが、毛穴に脂がたまっているのは自然なことなのです。

また、毛穴は〝くぼみ〟なので影ができ、何も汚れが詰まっていないときでも黒く見えます。これは、鼻の穴が黒く見えるのと同じこと。穴はどうしても黒く見えてしまうものなのです。

毛穴の大小の多くは遺伝的要因で決まる

毛穴の大きさを気にする人も多いのですが、毛穴の大きさはほとんど遺伝的なものです。それには男性ホルモンの量がかなり関係しています。

男性ホルモンが多めの人は皮脂腺が大きく

毛穴のしくみ

顔の毛穴
皮脂腺
皮脂腺が
大きいから
顔のほうが
目立つ
ボディの毛穴
皮脂腺

なり、皮脂腺の出口も大きくなるから、毛穴が目立つようになるのです。

この男性ホルモンの多さは、遺伝によって決まるもの。もともと背の高い人と低い人がいるのと同じことです。

生まれつきのものは、毛穴用化粧品で小さくなることはありません。

ケアで改善できるのは詰まり毛穴とたるみ毛穴

毛穴が目立つのは、生まれつきの要素もありますが、皮脂が詰まって目立っている場合（いわゆる「詰まり毛穴」）や、真皮が衰えて肌がたるみ、毛穴が広がって見えている場合（いわゆる「たるみ毛穴」）もあります。これは、適切なスキンケアでの予防や改善が可能です。
ただし、詰まり毛穴とたるみ毛穴では、対処法も異なります。まずは自分の毛穴がどんな状態なのかを知ること。そのタイプに合ったケアを的確に行うことが大切です。

あなたの毛穴はどのタイプ？

type

詰まり毛穴

皮脂と角質がまざり合って目立つ

毛穴の中の皮脂腺から分泌される皮脂と、古い角質とがまざって角栓になる。主にTゾーンの毛穴に多いのが特徴。

×カン違いスキンケア

- [ ] 朝、水だけで洗顔している
- [ ] お風呂で汗をかいて毛穴の汚れを出す
- [ ] クレンジングオイルでマッサージしながら、毛穴に詰まった汚れを落とす
- [ ] 保湿をおろそかにしている

体の中からも毛穴対策を

生活習慣が原因で毛穴が目立ってくることもあります。

不規則な生活、喫煙、極端なダイエットなどは、ホルモンバランスをくずし、毛穴の開きを加速させます。日焼けは肌のハリや弾力を低下させ、たるみ毛穴を招くので厳禁です。毛穴を目立たなくするには、こうした生活習慣を見直し、体の内側からケアすることも必要です。

どうしても毛穴を目立たなくしたいのであれば、次ページから紹介する予防だけでなく、皮膚科で治療を受けるのもひとつの手です。

皮膚科でピーリングやレーザーなどの機械を用いて治療すれば、自分だけのケアより、効率がもっと上がります。トータル予算は10万円が目安です。

type

たるみ毛穴

加齢にともない縦長のしずく形に広がる

真皮のコラーゲンやエラスチンが老化によって弱り、毛穴を支えきれなくなって、しずく形に垂れ下がった毛穴をさす。おもに頬に多く見られる。

×カン違いスキンケア

- [ ] 洗顔の最後に、冷水や冷やした化粧水で引き締める
- [ ] 引き締め化粧水で毎日ケアしている
- [ ] アンチエイジングコスメは使っていない
- [ ] あぶら取り紙は使わない

type

開き毛穴

生まれつき皮脂腺が大きいタイプ

オイリー肌で赤ら顔ぎみの人に多い。オイリードライに傾くと、敏感になることも。

×カン違いスキンケア

- [ ] 毛穴パックで毛穴のそうじをする
- [ ] ゴマージュやスクラブで肌をこすっている

詰まり毛穴タイプ

ピーリングや酵素洗顔で余分な角質を取り除く

デイリーケアで対処するのがベスト

詰まり毛穴の正体は、毛穴の中から分泌される皮脂と古い角質のまじったものです。たしかに、毛穴の中にこれらのものがたまっていけば、詰まり毛穴となります。

皮脂は日々分泌されているものなので、とめどなくあふれてきます。ということは、毎日のお手入れでケアしていくのがいちばん効果的だといえます。

ではどんなケアを取り入れればいいのかというと、毎日の洗顔がやはり基本です。しっとり系のうるおい洗顔のようなものでなく、さっぱりタイプの洗顔石けんで、皮脂をきちんと落としましょう。

それでもザラついて毛穴が詰まってしまうようなら、ピーリングコスメや酵素洗顔料をプラス。これらのアイテムには、古い角質をはがれやすく分解する作用があり、穏やかに毛穴の詰まりを取り去ることができます。

ピーリングは肌への刺激が強いと思われがちですが、ＡＨＡ[※1]などを配合したミルクやジェルタイプの洗い流すアイテムなら刺激は少なく、扱いやすいでしょう。

このように、皮脂だけでなく角質も落とすようにケアすることが、詰まり毛穴を予防するポイントです。

※1 ＡＨＡ／Ｐ182参照

穏やかに毛穴の汚れを取り去る酵素洗顔で
ゆで卵みたいなツルすべ肌を即感！

詰まり毛穴タイプ

角栓を除去する毛穴パックを行う

毛穴パックは2週間に1度ぐらいが目安

酵素洗顔やピーリングコスメなどでケアしていても、毛穴がザラザラ詰まって気になるときは、毛穴パック（貼ってはがすタイプのもの）やクレイマスクなどを活用するのも手です。

ただし毛穴パックは刺激が強いので、２週間に１度くらいの頻度を守って使いましょう。クレイマスクなら、１週間に１度くらいを目安にしてください。

ただ、毛穴はだれにでもあるものなので、あまり気にしすぎるのはやめましょう。

角栓を取っても毛穴のサイズは変わらない

貼ってはがすタイプの毛穴パックは、その取れ具合が快感となり、やみつきになって何度も使う人がいます。ただし、使いすぎると毛穴がよけいに目立ってしまうことも。

なぜなら、角栓（毛穴の詰まり）をパックで引き出すというのは、皮膚を刺激すること。これをくり返すと、毛穴がより広がってしまうことがあるのです。

詰まりを取っても、毛穴が小さくなるわけではないことを、きちんと認識しましょう。

たるみ毛穴タイプ

真皮の弾力を取り戻すケアで毛穴を引き締める

ピーリングとレチノールで予防にいそしむ

たるみ毛穴は「予防」が基本です。20代のうちからきちんとケアしておくといいでしょう。では、具体的にどのようなケアが効果的なのかというと、自宅でできることとしては2つの方法があります。

まず一つめは、ピーリングを行うこと。ピーリングには、真皮のコラーゲンを増やす作用があるので、毛穴のゆるみを防ぐ効果があります。そのうえ古い角質も取れるので、角栓を防ぐこともでき、詰まり毛穴のケアにもなって一石二鳥です。自宅でできるピーリングを選ぶ際は、拭き取るのではなく、洗い流すタイプにしたほうが肌への負担がなくておすすめ。

そして二つめが、レチノールを配合した化粧品をケアに取り入れること。このレチノールは、医学的にも証明されている、コラーゲンを増やす働きの強い成分。肌への浸透力があり、真皮のコラーゲンに作用するといわれています。

ただし、刺激が強いという面もあります。使い始めは、効きすぎると肌がカサカサしてきたりもしますが、使い続けていくことで、徐々にそのカサカサも落ち着いてきます。レチノールはビタミンAの一種で、もともと体内にある成分ですから、基本的には安全なものです。

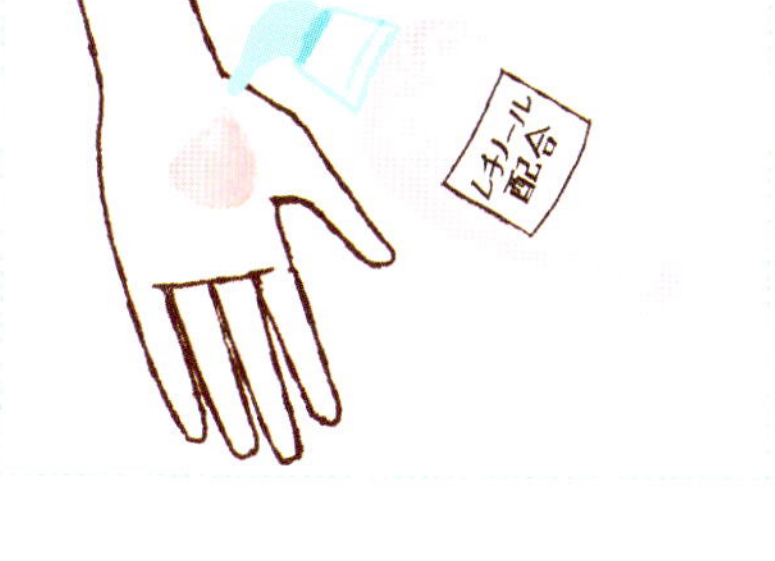

レチノール入りの化粧品は、おもにシワ対策の目元用の化粧品として売られていることが多いが、たるみ毛穴予防に使っても、もちろん問題ない。

たるみ毛穴／開き毛穴
タイプ共通

皮脂抑制効果も期待できる ビタミンＣを取り入れる

刺激が少なく使いやすい ビタミンＣ誘導体

レチノールよりも刺激の少ないビタミンＣは、たるみ毛穴はもちろんですが、肌が敏感になりがちな開き毛穴タイプでも比較的使いやすい成分です。

ビタミンＣには、コラーゲンを増やす作用と、若干ではありますが皮脂の抑制作用とがあります。

一口にビタミンＣといっても、いろいろなタイプの成分があるので、肌への浸透力を高めた誘導体型のものがよいでしょう。

なかでも、とくにおすすめなのがリン酸型やＡＰＰＳと呼ばれる新しいタイプです。

よく耳にする「純粋なビタミンＣ」は、化学的にいうとアスコルビン酸ですが、これを浸透しやすい形に改良したものがビタミンＣ誘導体で、成分表示上では、リン酸型は「リン酸アスコルビル」、ＡＰＰＳは「パルミチン酸アスコルビルリン酸３Ｎａ」と表示されます。選ぶ際の参考にしてください。

イオン導入機という美顔器を使って、週に1度程度ビタミンＣのイオン導入をすると、毛穴ケアに有効です。

テカリを感じたらこまめに皮脂をオフ！

皮脂によるテカリをそのままにしておくと、肌の上で酸化し始め、過酸化脂質という刺激物質に変化してしまいます。この刺激物質が老化を促すおそれが！　あぶら取り紙でこまめに皮脂を押さえるようにしましょう。

完全テクニック 5

全タイプ共通

毛穴に効く食べ物で体の中からケア

皮脂分泌を抑えるビタミンB_1・B_2が有効

どのタイプの毛穴も、皮脂が多いと詰まりの原因となり、よけいに目立ったり悪化したりします。皮脂分泌を抑える栄養素をとるとよいでしょう。

ビタミンB_1は、炭水化物の代謝を助ける栄養素。炭水化物がきちんと代謝されないと、皮脂が過剰に分泌されるので、それを予防します。豚肉やピーナッツ、うなぎなどに豊富に含まれます。

B_2は、皮脂の分泌をコントロールするのに、とても有効な栄養素。豊富に含む食品は、レバーやうなぎです。

とりたい栄養素とおすすめの食品
（100gあたりの含有量）

ビタミンB_2

豚レバー	3.6mg
牛レバー	3.0mg
鶏レバー	1.8mg
うなぎ（かば焼）	0.74mg
納豆	0.56mg
たらこ	0.43mg
卵	0.43mg
モロヘイヤ	0.42mg
うるめいわし	0.36mg
ぶり	0.36mg
生しいたけ（菌床栽培）	0.20mg
まいたけ	0.19mg

ビタミンB_1

豚ヒレ	1.32mg
ほしのり	1.21mg
豚もも（赤身）	0.96mg
ピーナッツ（乾）	0.85mg
うなぎ（かば焼）	0.75mg
たらこ	0.71mg
豚ロース（脂身つき）	0.69mg
ごま（いり）	0.49mg
玄米	0.41mg
グリンピース	0.39mg
鶏レバー	0.38mg
そば（乾）	0.37mg

オーバーカロリーになると、皮脂は余分に分泌されてしまいます。肉はゆでる、煮るなどの調理法にして油ものを控え、甘いもののとりすぎにもご注意を

毛穴を制す 究極レシピ

ビタミンB_1・B_2が豊富な鶏レバーは
毛穴対策の最強食材

鶏レバーの野菜炒め ビタミンB_1 ビタミンB_2

材料(2人ぶん)

鶏レバー……………………200g
キャベツ……………………250g
赤パプリカ…………………1/2個
にんにく……………………1かけ
オリーブ油…………………大さじ2
赤唐辛子の小口切り………1本ぶん
塩……………………………小さじ1/2

つくり方

1. キャベツは6cm角に切る。パプリカはせん切り、にんにくはみじん切りにする。
2. レバーは冷水に20分漬けて血抜きをし、そぎ切りにする。
3. 直径24cmのフライパンにオリーブ油大さじ1を中火で熱し、にんにく・赤唐辛子を炒め、香りが出たらレバーを入れる。上下を返しながら3〜4分、焼きつけるように焼き、いったんすべてを取り出し、分量の塩から少量をふっておく。
4. 油を足し、キャベツとパプリカを入れ、押すようにして2分焼きつけ、上下を返す。
5. レバーを戻して塩を加え、強火にして1〜2分くらい炒め合わせる。

毛穴レスな美肌づくりには
良質なたんぱく質も欠かせない

手羽先のジンジャーエール煮 ビタミンB_2

材料(2人ぶん)

鶏手羽先 ………………6本(300g)
生しいたけ………………………6枚
しょうゆ………………………大さじ3
砂糖…………………………大さじ1
ジンジャーエール……200 ～ 250mℓ
ベビーリーフ……………………適宜

つくり方

1. 手羽先は、はさみで骨に沿って切り込みを入れ、しょうゆ・砂糖をもみこみ、ジンジャーエールを注ぐ。冷蔵庫でそのまま30 ～ 60分おく。
2. しいたけは石づきを取り、縦四つ割りにする。
3. 直径24 ～ 26㎝のフライパンに①を汁ごと入れて中火にかける。煮立ったらあくを取り、②を加えフタをして弱火で15分煮る。
4. 器に盛り、ベビーリーフを飾る。

この悩みにPinpoint

赤く目立つ！　なかなか治らない!!

ニキビ

ニキビのできる理由は複雑

ニキビは、だれもが一度は経験したことのあるポピュラーな肌トラブルです。それなのに、ニキビができる理由やしくみを理解している人は非常に少ないようです。なんといっても、理由やしくみを知ることが的確な解決への道しるべとなりますので、ここできちんと説明していきましょう。

そもそもニキビはどうしてできてしまうのでしょう。最初に誤解を解くと、ニキビは必ずしも皮脂が多いからできるわけではありません。その証拠に、乾燥肌の人でも大人ニキビはできるのです。また、皮脂の少ない頬にだけできる人もいます。

ニキビができるきっかけは、毛穴の出口の角質が厚くなって、毛穴をふさいでしまうこと。ふさがれた毛穴の中では皮脂が詰まり、アクネ菌が過剰に繁殖して、ニキビになるのです。乾燥している部分にでもニキビができるのはこのためです。

昔から「アクネ菌がニキビの原因菌だから殺菌すべき」という考え方があるようです。たしかに毛穴の中で繁殖してしまうとニキビを悪化させる一因になりますが、アクネ菌はそもそも皮膚の常在菌です。肌表面のバランスを正常に保つ働きを担っているので、すべて殺菌してしまうわけにはいかないのです。

では何がニキビの原因かというと、体内バランスの乱れ、要するにホルモンバランスの乱れや免疫低下などといわれています。こういった体内バランスの乱れには、ストレスや不規則な生活、偏食、睡眠不足、運動不足など、生活のあらゆることが影響しています。

ニキビの原因を知りたい気持ちはよくわかりますが、あまりにも複雑にからみあってい

✕カン違いスキンケア

- □ メイクをしていないときもクレンジングをして、ダブル洗顔をしている
- □ 洗顔後は化粧水しかつけない
- □ ニキビが化膿したら、イオウ配合の塗り薬で乾かして早く治す
- □ 大人ニキビに乾燥させるようなニキビ用化粧品を使う

ニキビのしくみ

正常な肌
毛穴の出口が開いている。

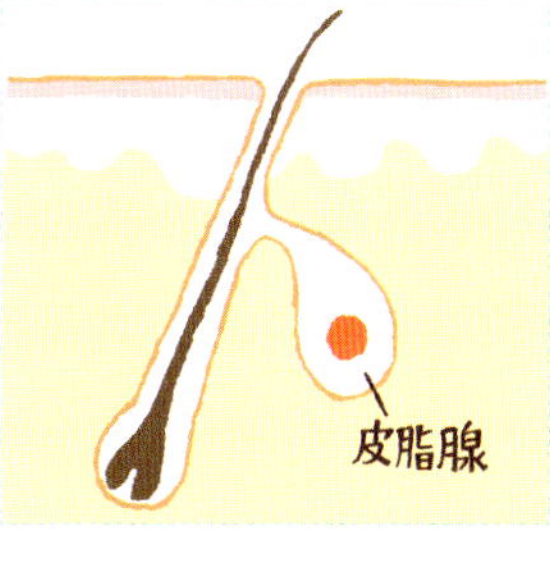

ニキビのでき始め
角質肥厚によって毛穴がふさがれる。

るので、原因を簡単には特定できないケースが多いのです。ニキビが慢性化している人は、スキンケアだけでは治らないことが多いので、皮膚科で早めに受診してください。

〝大人ニキビ〟の特徴を理解しておこう

皮膚科医

20代からできる、いわゆる「大人ニキビ」が、最近とても増えています。この大人ニキビには、10代のニキビとは違う大きな特徴が2つあります。

一つはできる部位が異なる点。とくに、あご周辺にできやすく、治りにくいうえ、跡が残りやすいという難点があります。

もう一つは、睡眠不足やストレスで悪化するという点です。食生活ももちろんですが、それよりも睡眠のほうがはるかに大きく影響します。いろいろなことが少しずつ積み重なって、ニキビの原因をつくり出しているのです。

たとえ昔からの習慣であっても、肌に悪そうな習慣はすべて改善していくのが美肌への

正しいスキンケアを知るために理解しておきたい

ニキビができるプロセス

突然現れたように思えるニキビも、じつは左のような段階を経て成長してきたもの。すべてのニキビが第四段階まで進むわけではなく、途中で治るケースも。

第一段階 ニキビのでき始め
男性ホルモンや皮脂の分解産物の影響で、角層が角化異常を起こし、毛穴の出口が狭くなる。

第二段階 白ニキビができる
毛穴の出口が狭くなると、皮脂が毛穴の中にたまり、それをエサにアクネ菌が繁殖して、毛穴内は炎症を起こす。

Check
毛穴は閉鎖された状態になり、塗り薬も浸透しにくい

第一歩です。

突然に見えるニキビも じつは段階を踏んできた

ニキビは、ある日突然ポッと発生したように思えますが、もちろんそんなことはありません。ニキビのできるプロセスは噴火に似ています。マグマが地下で沸々と燃えたぎっているかのように肌内部で炎症が起こり、それが肌表面にポンと噴火するように出てくるのです。肌上に出るのは最終段階だととらえると、肌内では沸々とある程度の期間かけてできているのです。

この、表面に見えていない時期からケアすること、すなわち「予防」が、ニキビケアの最重要事項。ニキビができてから、つまり噴火してしまってから治すのは、より大変になるからです。

第三段階 炎症が起こる

炎症が起こると、毛穴のまわりまで赤く腫れ上がる。毛穴の中やまわりに白血球が集まり、アクネ菌を攻撃し始める。

第四段階 ニキビ跡ができる

炎症が進むと、毛穴の壁が壊れて炎症が広がることも。このように炎症が強くなりすぎると、凹んで跡が残ったりする。

Check

クレーター状の陥没が残るのは、必ずしもつぶしたためではない。炎症が強くなりすぎると、どうしても凹みやすい。炎症の強さは、体質によるもの

Check

寝不足がニキビの炎症をエスカレートさせることもあるので注意

完全テクニック 1

毎日6時間以上の睡眠を確保

睡眠不足になると肌の免疫が低下する！

ニキビができてしまう理由として、ホルモンバランスの乱れがあるというお話をしました。これをスキンケアだけで正そうとするのは無理があります。ホルモンバランスを整えるには、規則正しい生活を心がける必要があるからです。

とくに睡眠不足になると、肌の免疫力が低下して、ニキビができやすくなります。そのうえ、ニキビが大きく、腫れやすくもなります。

ニキビを予防するには、毎日6時間以上の睡眠を確保したいものです。仕事で帰宅が遅くなった日も、食事の用意や入浴に時間をかけるよりも、それらは手早くすませて、早く就寝しましょう。また、寝不足なのに、無理に毎朝早起きしてお弁当をつくったりするのも、おすすめできません。極論をいえば、食事より睡眠のほうが大事です。

では一日6時間以上寝てさえいれば何時に寝てもいいのかというと、そうではありません。就寝時刻がまちまちだと、体内時計が乱れて、肌の再生にかかわる成長ホルモンの分泌に影響を及ぼしてしまいます。

それを防ぐためにも同じ時間に寝て、同じ時間に起きるといった規則正しさも必要になってきます。思いあたる人は、今すぐ改善してみましょう。

油分を控えたスキンケアを

過剰な油分はアクネ菌の栄養源に

アクネ菌は、油を栄養として繁殖します。そのため油分の多い化粧品をつけると、ニキビが悪化することがあるのです。ニキビ肌の人は、オイルやクリームなどは控えましょう。「ニキビができるから化粧水しかつけない」人もときどきいますが、それは間違い。肌が乾燥しすぎると、角質が厚く硬くなり、かえって毛穴をふさいでしまうことがあります。なるべく水分を与えて、肌をやわらかく保つことがニキビ予防には必要です。

余分な皮脂は洗顔でスッキリ落とし、油分の少ない保湿美容液をつけるようにします。

最近は、油分の中でもアクネ菌の栄養になりにくい油分だけでつくられた化粧品もあります。「ノンコメドジェニック」と表示されているものなどを目安に試してみてもよいでしょう。

洗顔のときに注意したいこと

ニキビができやすい肌質の人は、洗顔のときに、生え際やフェイスライン、あご下などにすすぎ残しがないように気をつけましょう。顔に洗顔料が残ったままだと、ニキビができたりニキビを長引かせたりする原因になりかねません。

ビタミンC誘導体でニキビのできにくい環境をつくる

化粧水はビタミンCがおすすめ

ニキビのできやすい人は、ビタミンC配合の化粧水を使うのも効果的です。ビタミンCには若干ではありますが皮脂を抑える効果があり、ニキビ予防に役立つからです。ニキビ跡の赤みを薄くする作用も期待できます。

ビタミンCといっても、成分にはいろいろなタイプがあります。肌への浸透を高めた誘導体型のものを選ぶのがポイントです（P130参照）。

またくり返しになりますが、乾燥はニキビを助長させます。ビタミンC誘導体の化粧水の上から、必ず保湿美容液を塗るようにしましょう。

大人ニキビにはイオウやニキビ用化粧品は要注意

昔から、ニキビ用としてイオウ配合の塗り薬がよく使われています。たしかにイオウには、殺菌作用や角質柔軟作用がありますが、同時に脱脂作用もあるので、皮脂の多い10代の肌ならばまだしも、大人のニキビ肌に使うとガサガサあれてしまうことも。

また、さまざまなニキビ用化粧品が市販されていますが、なかには肌を乾燥させる作用の強いものもあるので要注意です。ニキビ用化粧品を使うなら「大人ニキビ用」「敏感肌用」などの表示のあるものを求めましょう。

皮脂を抑える作用のあるビタミンC誘導体で
新しいニキビの発生を予防！

生理前ニキビを防ぐためピーリング化粧品を使う

毛穴詰まりを予防してニキビ対策を

ニキビを防ごうと、スキンケアをしっかり行い、生活を見直していても、できてしまうことがあります。それはたいてい、生理前の時期が多いようです。

生理前はホルモンバランスの変化によって、ニキビができやすく悪化しやすい時期。これは黄体ホルモンが皮脂分泌を活発にさせることが大きくかかわっています。

そこで、この時期はスペシャルケアとして、ピーリングを取り入れてみて。ピーリングには余分な角質をはがす作用があるので、毛穴が詰まりにくくなるのです。

ピーリングコスメには拭き取りタイプや洗い流しタイプなどありますが、肌にやさしいのは、ミルクかジェルの洗い流しタイプです。ふだんから週に1~2回のピーリングケアを取り入れて、生理前のニキビを予防しましょう。

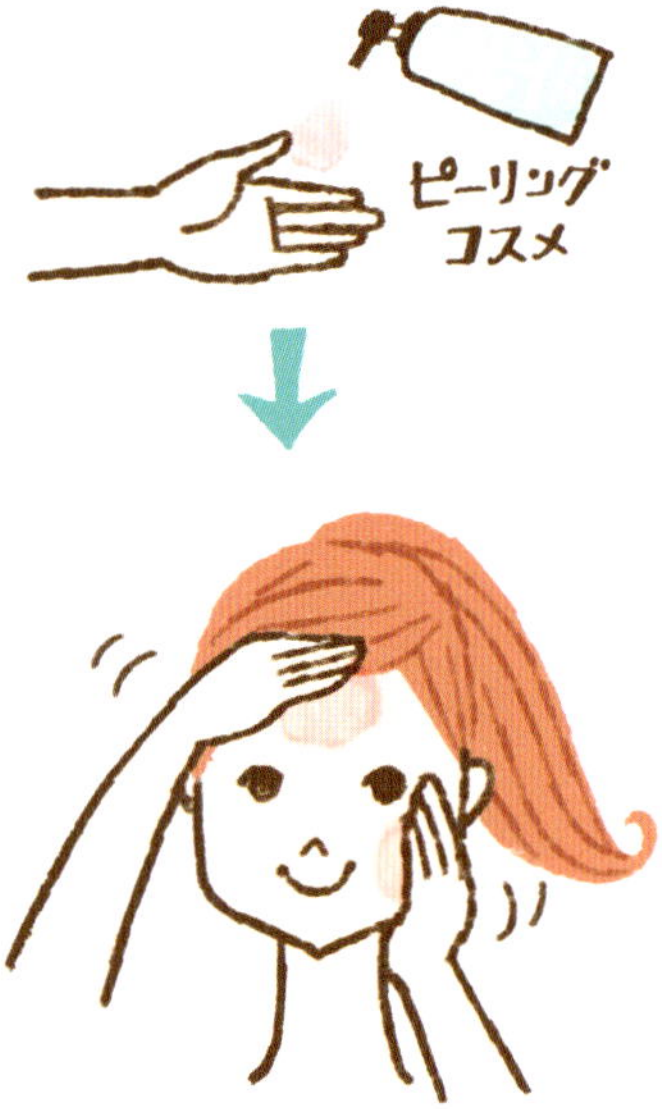

油分の少ないファンデーションをチョイス

油分がニキビを悪化させる

メイクアップ料の進化で、最近では昔のように「メイクをしたからニキビができる」ということは、かなり少なくなりました。ただ、メイクアップ料の選び方には注意が必要です。

たとえば油分の含まれているクリームタイプのファンデーションを使うと、ニキビが悪化することがあります。とくにオイリー肌の人は、パウダータイプのファンデーションか、ルースパウダー（粉おしろい）にとどめたほうが無難です。ただ、どうしてもニキビ部分をカバーしたいというのであれば、その部分のみ、コンシーラーを使うのなら問題ありません。

そのほか、化粧下地も油分を含んでいてニキビには適さないので、保湿美容液などを塗った上から直接、パウダー類を重ねて塗るのがおすすめです。

パウダーだけでは粉浮きしてつきにくい場合は、保湿成分が配合されているものなど少ししっとり系のパウダーファンデーションを選びましょう。

ニキビのここが知りたい

Q 男性ホルモンが多いからニキビができるのでしょうか…

大人ニキビができるのは、あごやフェイスラインなど男性のひげの生える部分にあたるので、そういった噂があるのでしょう。

たしかに、ニキビの初期段階〝角化異常〟には、男性ホルモンがかかわっています。でも本当に血中で男性ホルモンが増えているのなら、毛深くなったり、のどぼとけが出たりなど、男性化の兆候が体のあちこちに現れるはずです。そもそも男性がみなニキビ肌かといったら、そうではありませんよね。

ニキビは「男性ホルモンが多いからできる」とか、「血中の男性ホルモン濃度を下げれば治る」などという、単純なものではなく、その原因は複雑なのです。

原因の究明は難しいので、とにかく生活改善とスキンケアの見直しが先決になります。

皮膚科で受けられるニキビ治療って？

主に飲み薬（抗生物質やビタミン剤）、塗り薬、漢方薬などの処方があります。慢性化した大人ニキビの場合、塗り薬だけで治すことは難しいもの。ニキビができるときは毛穴の出口がふさがれている状態なので、塗り薬が毛穴の奥まで浸透しないからです。そこで、ビタミン剤や抗生物質などの内服薬を併用します。

また、ニキビの原因にはホルモンバランスの乱れが関係するため、それを整えたり、皮膚の免疫を高めたりする漢方を処方することもあります。

そのほか、ニキビを早く治し、また陥没や色素沈着などのニキビ跡を残さないよう、ピーリングを行うこともあります。ビタミンC誘導体のイオン導入などを組み合わせると、さらに効果が出やすくなります。

完全テクニック 6

ニキビを寄せつけない栄養素をたっぷりとる

とくに有効な栄養素はビタミン類や食物繊維

ニキビは、体内バランスの乱れから、毛穴の出入り口がふさがれてしまう角化異常を起こすことから始まります。予防は、皮脂の分泌を抑える食事がポイントになります。

ニキビ予防のためにとりたい栄養素は、毛穴ケアと同様、皮脂の分泌を抑える効果のビタミンB_1とB_2。さらにビタミンEもそのひとつです。血流を改善することで、角化異常の発生や色素沈着を防ぐのに役立ちます。

また便秘もニキビの原因となります。スムーズなお通じのために食物繊維を積極的にとりましょう。

とりたい栄養素とおすすめの食品

（100gあたりの含有量）

食物繊維

おから	11.5g
大豆（水煮）	6.8g
納豆	6.7g
モロヘイヤ	5.9g
キウイ	2.5g
れんこん	2.0g
長いも	1.0g

ビタミンB_1

豚ヒレ	1.32mg
豚もも（赤身）	0.96mg
ピーナッツ（乾）	0.85mg
うなぎ（かば焼）	0.75mg
たらこ	0.71mg
豚ロース（脂身つき）	0.69mg
玄米	0.41mg

ビタミンE

アーモンド（フライ）	29.4mg
ツナ缶	8.3mg
たらこ	7.1mg
西洋かぼちゃ	4.9mg
赤パプリカ	4.3mg
アボカド	3.3mg
ほうれんそう	2.1mg

ビタミンB_2

鶏レバー	1.8mg
うなぎ（かば焼）	0.74mg
納豆	0.56mg
ブロッコリー	0.20mg
生しいたけ（菌床栽培）	0.20mg
まいたけ	0.19mg
ヨーグルト	0.14mg

ニキビを制す 究極レシピ

ニキビを撃退する
ビタミンB_2と食物繊維がぎっしり

赤身まぐろの納豆・長いも和え ビタミンB_2 食物繊維

材料（2人ぶん）

まぐろの赤身……………………100g
ひき割り納豆…………………30g
長いも……………………………50g
万能ねぎ…………………………5本
ごま油……………………………大さじ1
しょうゆ…………………………大さじ1
豆板醤……………………………少々

つくり方

1. まぐろは1.5cm角に切る。長いもは皮をむいて粗みじんに切る。
2. 万能ねぎは小口に切る。
3. まぐろにごま油をからめ、長いも・万能ねぎ・ひき割り納豆を加えてしょうゆ・豆板醤で和える。

血行を促すビタミンEは
ニキビ跡の色素沈着も防ぐ

サーモンとほうれんそうのソテー ナッツソース

ビタミンE　食物繊維

材料(2人ぶん)

鮭……………………2切れ(200g)
ほうれんそう……………………100g
スライスアーモンド……………30g
　オリーブ油…………… 大さじ1
　しょうゆ……………… 大さじ1
　みりん………………… 大さじ1
　カレー粉……………小さじ1/2
塩…………………………小さじ1/2
オリーブ油…………………大さじ1

つくり方

1. ほうれんそうは半分の長さに切り、根元をさらに縦半分にする。
2. スライスアーモンドはきつね色になるまで乾いりする。Aの材料はまぜ合わせておく。
3. 鮭は塩をふる。
4. 直径24～26㎝のフライパンに大さじ1のオリーブ油を中火で熱し、鮭を入れ、まわりにほうれんそうを置く。表裏3分ずつ焼く。取り出して盛りつける。
5. ④に、いったアーモンドをのせ、Aをかける。

ニキビを根本的に絶つには漢方薬がおすすめ

ホルモンバランスを整えて免疫力を高める

皮膚科医

前にも説明したとおり、大人ニキビの主な原因は、ホルモンバランスの乱れです。このホルモンバランスの乱れは、ストレスや睡眠不足、不規則な生活、食生活の乱れなど、ちょっとしたことの積み重ねで生じます。そのため、体の内側から改善してくれる漢方薬が役立ちます。

漢方薬の基本的な効果は、体内のバランスをとって、自分自身のもつ自然治癒力を高める点にあります。ニキビ治療の場合には、ホルモンバランスを整えたり、皮膚の免疫力を高めたりする漢方薬を用います。

漢方薬は、その人の体質や症状を見ながら処方していくので、同じニキビでも処方はひとりひとり異なりますが、大人ニキビに悩む女性の多くは〝瘀血《おけつ》〟体質です。瘀血とは、簡単にいうと血行不良のようなものと考えてください。冷え性や日ごろから頭痛や肩こりがある人、激しい生理痛、イライラのある人などは瘀血体質の可能性があります。瘀血体質だと、生理前はとくに血行が悪くなり、滞りがちに。そのためニキビができやすかったり、悪化しやすかったりするのです。

この瘀血体質を漢方薬で緩和すると、ニキビの根治に効果を示す場合が多いようです。

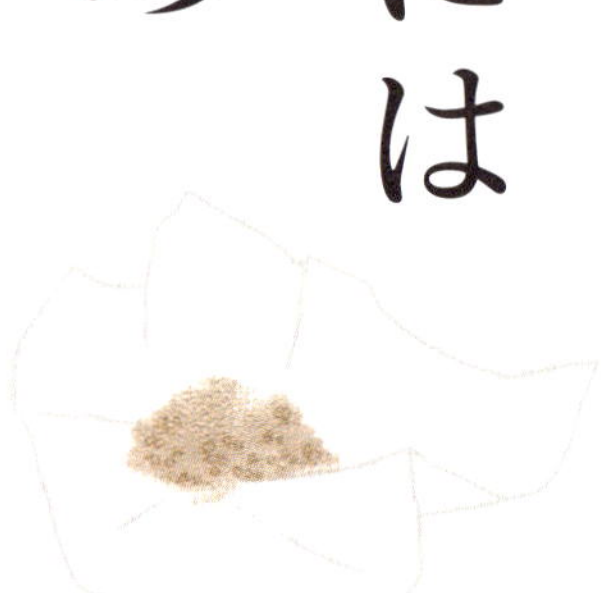

大人ニキビによく使われる漢方薬

当帰芍薬散（とうきしゃくやくさん）

色白、冷え性でむくみやすい体質の人に向いている。生理が遅れがちな人にも。

加味逍遥散（かみしょうようさん）

頭痛や肩こり、便秘があり、イライラしがちな人向き。不定愁訴のある人にもおすすめ。

桂枝茯苓丸（けいしぶくりょうがん）

のぼせやすく赤ら顔の人に。生理前に肩こりやイライラなどの症状があり、生理痛の重いタイプの人にも向いている。

荊芥連翹湯（けいがいれんぎょうとう）

顔全体に皮脂が多く、赤ら顔で小さいニキビがたくさんできる人に向いている。鼻炎のある人にもよい。

清上防風湯（せいじょうぼうふうとう）

若い人や男性のニキビに効果的。額など皮脂の多い部分に、赤いニキビがたくさんできている人向き。

十味敗毒湯（じゅうみはいどくとう）

おできのできやすい人に。背中やおしりにも、おできのような痛いニキビができる人向き。ただし、便秘の人には、この処方は効かないので、まず便秘から解決する必要がある。

薬局やドラッグストアで売られている漢方薬でもいいの？

まずは入手しやすい薬局やドラッグストアで買った漢方薬を試してみるのもいいでしょう。それで効果が感じられない場合は、漢方を扱う病院で相談してみましょう。保険が適用されるので、1か月の費用は2000～4000円が目安です。

あきらめないで！

ニキビ跡を薄くするお手入れ

❶赤みが残るタイプ

❷シミが残るタイプ

ビタミンC誘導体やピーリングが効果的

ニキビ跡と呼ばれているものには、大きく分けて3つあります。

❶赤みが残るタイプ
❷シミが残るタイプ
❸陥没（クレーター）が残るタイプ

❶と❷のタイプは、ホームケアでも薄くできます。

❶のタイプは、ニキビが炎症を起こして赤みが出たあとに、ニキビがほぼ治っていても、いつまでも赤みが残ってしまうもの。その赤みは何年も、場合によっては10年ぐらい残ります。早く消すには、ビタミンC誘導体の化粧水やイオン導入が効果的です。

また❷のタイプは、炎症性色素沈着による

3 陥没が残るタイプ

ものです。何年かかけて消える場合もあれば、そのまま残ってしまうことも。日焼けしてしまうと消えにくくなるので、紫外線対策は万全に行ってください。さらに、美白化粧品も有効ですが、専門医によるピーリングを受けると、とても早く改善します。

最後に3のタイプ。これは自分で行うお手入れでの改善は困難です。美容皮膚科などで相談しましょう。ピーリング、レチノイン酸の塗り薬、各種レーザーを使った治療などが効果をあげています。予算はだいたい10万円が目安です。

上手につぶせば跡になりにくい!

ニキビをつぶしてしまうと跡になりやすいという説もありますが、初期段階で芯だけを上手に押し出せれば、跡にならず、かえって早く治ることも。

その際に注意したいのがつぶし方です。お風呂上がりで、肌がやわらかく清潔な状態のときに行います。薬局などで売られている〝コメドプッシャー〟と呼ばれる専用の器具、もしくは綿棒2本でやさしく押し出してみましょう。

うまく出ないようなら、無理に強く押すのはやめましょう。皮膚科でも押し出しの処置をしてくれるところがあるので、相談してみてください。ただし、くれぐれも赤く腫れているようなニキビには、けっして行わないでください。

この悩みにPinpoint

シミ

突然できた！　広がってきた？

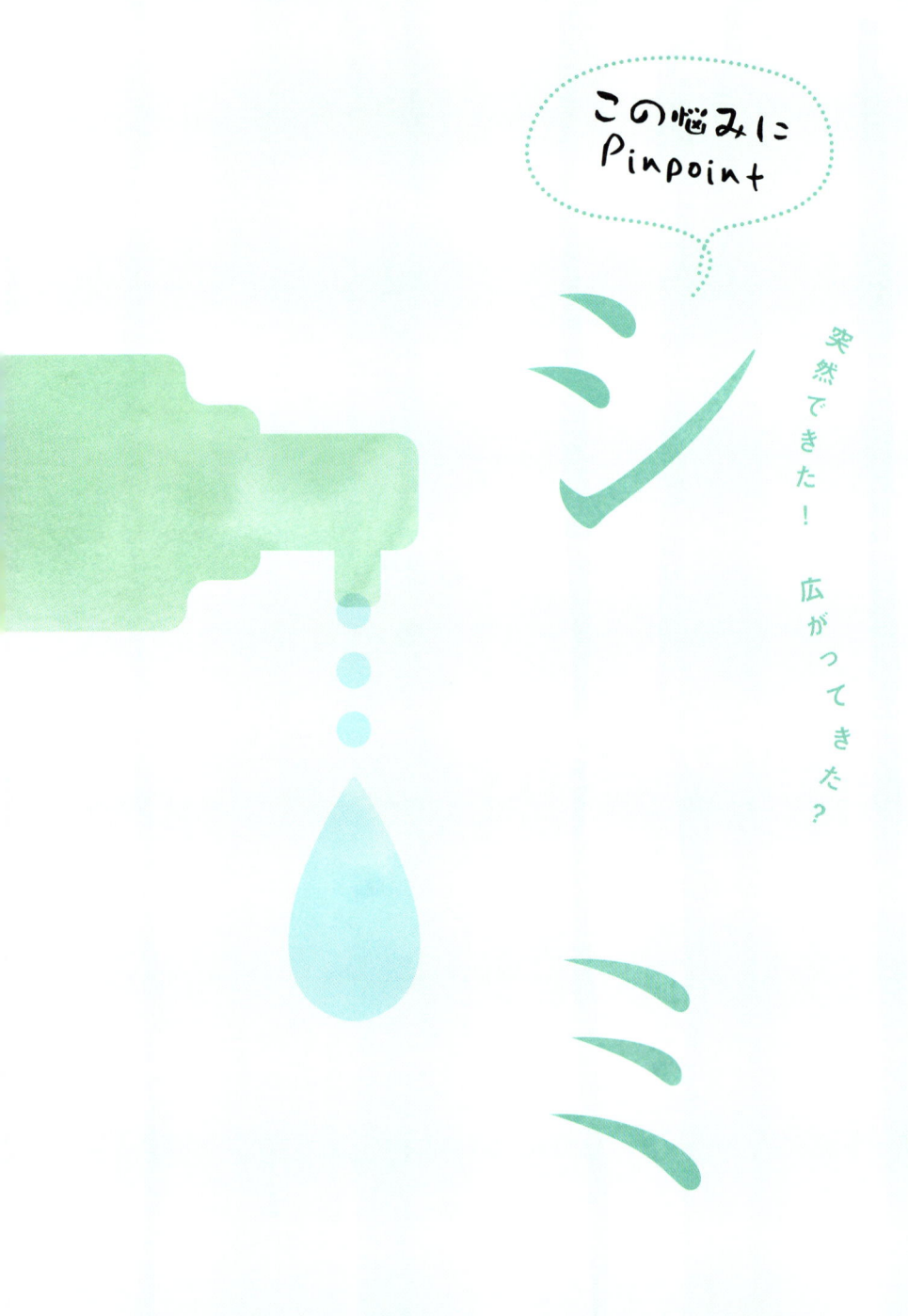

シミの種類はいろいろある

みなさんが一般的に呼んでいるシミは、顔にできた茶色っぽく見えるもの全般をさしているのではないでしょうか。なかには、ほくろやイボに相当するものも「シミ」と呼ぶ人もいます。

一般にシミと呼ばれるものには、医学的にいうと、老人性色素斑《ろうじんせいしきそはん》、脂漏性角化症《しろうせいかくかしょう》、雀卵斑《じゃくらんはん》（ソバカス）、炎症性色素沈着、肝斑《かんぱん》、花弁状色素斑《かべんじょうしきそはん》などが含まれます。

くわしくは次ページで説明しますが、自分のシミがどれにあてはまるのかによって、できる原因やお手入れ方法が変わってきます。まずはそのシミがどのタイプに該当するのか、よく見極めることが先決です。

✕カン違いスキンケア

- □ 美白化粧品を使うのは夏だけ
- □ 日焼け止め化粧品はほとんど使わない
- □ 日焼けしたなと感じたら、美白マスクを使う程度

美白成分が効くものと効かないものがあった！

シミといえばなんでも美白化粧品でお手入れすればよいと思っている人が多いようですが、シミの中にも美白成分が効くものと、効かないものとがあります。

たとえば老人性色素斑（初期のもの）、炎症性色素沈着、肝斑、雀卵斑には美白化粧品が有効です。「美白化粧品を使っているのに効かない」と感じていた人は、まず自分のタイプを見極める必要がありそうです。

では美白化粧品が効かないシミの場合は解消法がもうないのかというと、そうでもありません。次ページで、まずは自分のシミタイプを判定してみましょう。

老人性色素斑が一般的

シミの中でももっとも多い「老人性色素斑」は紫外線の影響でできる。

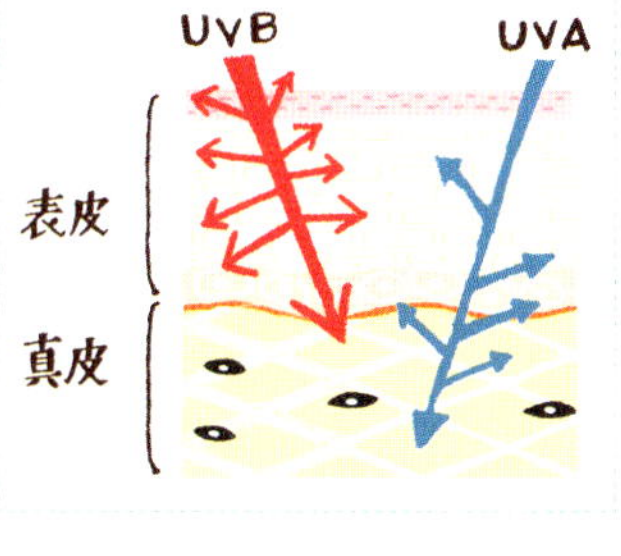

シミのタイプに合わせたお手入れや治療を

	①老人性色素斑《ろうじんせいしきそはん》	②脂漏性角化症《しろうせいかくかしょう》
シミのタイプ	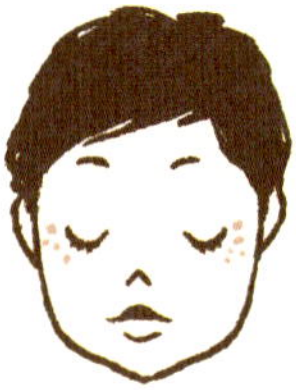	
このシミの特徴は?	シミの中でもっとも多いのがこのタイプ。別名、日光性黒子《にっこうせいこくし》とも呼ばれ、紫外線の影響でできてしまうもの。頬骨の高いところにできやすく、数mm～数十mm大の丸い色素斑であることが多い。でき始めは薄い茶色をしているが、しだいに濃く、はっきりとしてくるのが特徴。何年もたつうちに隆起してくることがあり、②の脂漏性角化症になっていくものもある。	シミからさらにイボのように盛り上がってきたもの。よく見ると、イボの表面はボツボツとしているのが特徴。手の甲などにできる茶色いシミもこれに相当するものが多い。
美白化粧品の効果はある?	ごく初期のうっすらとしたものには、美白化粧品の有効成分が効果を発揮する。ただし、定着してしまったものは、皮膚自体が変化しているため化粧品では消えない。	皮膚の形態そのものが変化してしまっているため、美白化粧品は効果がない。
そのほか有効な治療法は?	シミの輪郭がはっきりしてきたものは、レーザー治療でないと消せない。	レーザー治療のほか、液体窒素による凍結療法で消せる場合もある。

③雀卵斑《じゃくらんはん》(ソバカス)

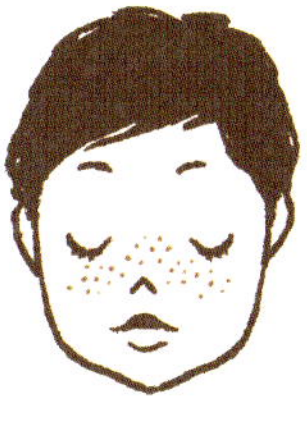

一般的には小さいシミのことをソバカスと呼んでいるが、厳密には遺伝的なものだけをさす。遺伝的なソバカスは、10代のころからでき始め、小さく茶色いシミが鼻を中心に散らばるようにできるのが特徴。よく見ると、シミのひとつひとつの形が、円というよりは三角や四角になっている。白人に多く見られるが、日本人でも色白の人に比較的多いよう。

理論上では、美白化粧品の効果が出るはずだが、遺伝的要素が強すぎるためか、あまり薄くならないよう。

レーザーで治療すればきれいに消すこともできるが、再発することもある。

④炎症性色《えんしょうせいしき》素《そ》沈着《ちんちゃく》

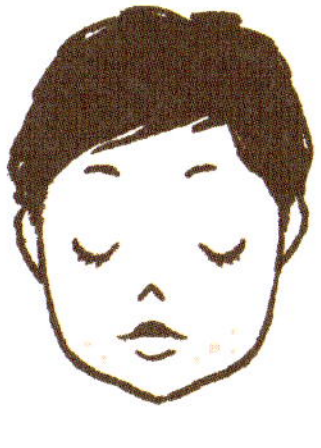

ニキビ跡や傷跡などが茶色くシミになって残ったもの。足や腕にできた虫さされの跡がシミのようになって消えないことがあるが、これも同じである。そのほか、むだ毛を毛抜きで抜いていると、毛穴のまわりが炎症を起こして黒く跡になるのもこのタイプ。

美白化粧品が有効なタイプ。おすすめの成分はビタミンC誘導体。

ピーリングが速効性あり。そのままにしていて消えることもあるが、消えるまでに2～3年かかるケースもあり、そのあいだに日焼けすると消えにくくなる。

⑤肝斑《かんぱん》

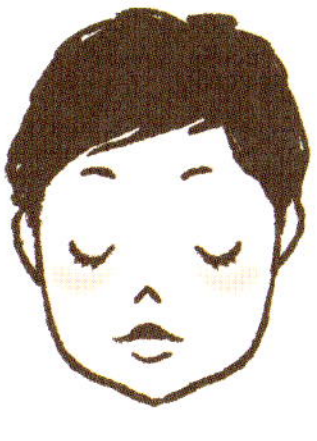

女性ホルモンのバランスがくずれたとき頬骨のあたりに、モヤモヤッと左右対称にできることが多い。色は茶色や灰色などさまざまなタイプがある。しばしば鼻の下や額に出ることもあるよう。妊娠中やピルを服用したときや、更年期の人によく見られる。

美白化粧品が有効なタイプ。ピーリングや内服薬と併用すると、より早く効果が現れる。

レーザー治療は不向き。トラネキサム酸という薬を数か月服用すると薄くなることが多い。漢方薬が有効なことも。

⑥花《か》弁状色《べんじょうしき》素《そ》斑《はん》

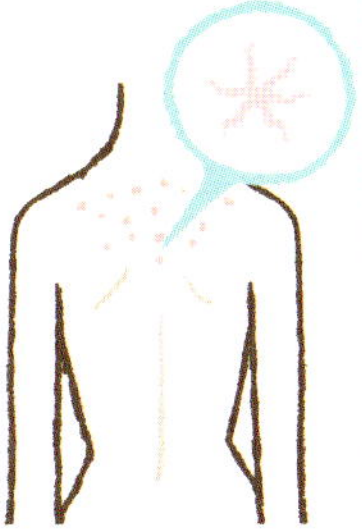

海などで急激に日焼けしたあとに、肩から背中にかけてできる小さなシミをさす。よく見ると、円ではなく、花びらのような形をしていることから、こう呼ばれている。

美白化粧品ではほとんど消えることはなく、あまり効果があるとはいえない。

レーザー治療を行うのが確実。そのほかの方法で消すのは難しいよう。

美白っぽいものではなく〝美白成分〟を含む化粧品を選ぶ

本当に美白化粧品？表示を確認して購入を

パッケージがなんとなく白っぽかったり、「ホワイト○○」というような商品名だったり……。これらも全部美白化粧品のように認識していませんか？

美白化粧品とは、美白成分がきちんと配合されているものをさします。ただ雰囲気だけで選んでいると、美白成分が入っていないこともあるので、よく確認してから購入すべきです。

さて、美白成分は、どんな働きをしてくれるのでしょうか。

紫外線にあたると、肌の中で「メラニンをつくれ！」という指令が出ます。そこでメラニン色素がつくられ始めるわけですが、このメラニン色素を製造するプロセスを、どこかの段階で抑えるのが美白成分の働きです。ただし同じ美白成分とはいえ、成分によって働きかけるタイミングが異なります（P158参照）。

とかく美白というと、肌全体を真っ白にしてくれるものと思われがちですが、それは誤解です。

メラニンの生成を抑えるのが美白成分の働きですから、ニキビ跡の赤みなど、メラニン色素によるものでない色は白くすることができません。ただし、ビタミンC誘導体は、ニキビ跡の赤みに有効です。

シミをつくらないためには
たしかな美白成分が入っていることがポイント

美白成分とは？

メラニン色素がつくられる際に肌内部で起こる反応を、どこかで抑える働きをもつのが美白成分。どの段階に作用するかで次のように分けられます。

紫外線によるシミのできる流れと美白成分の働き

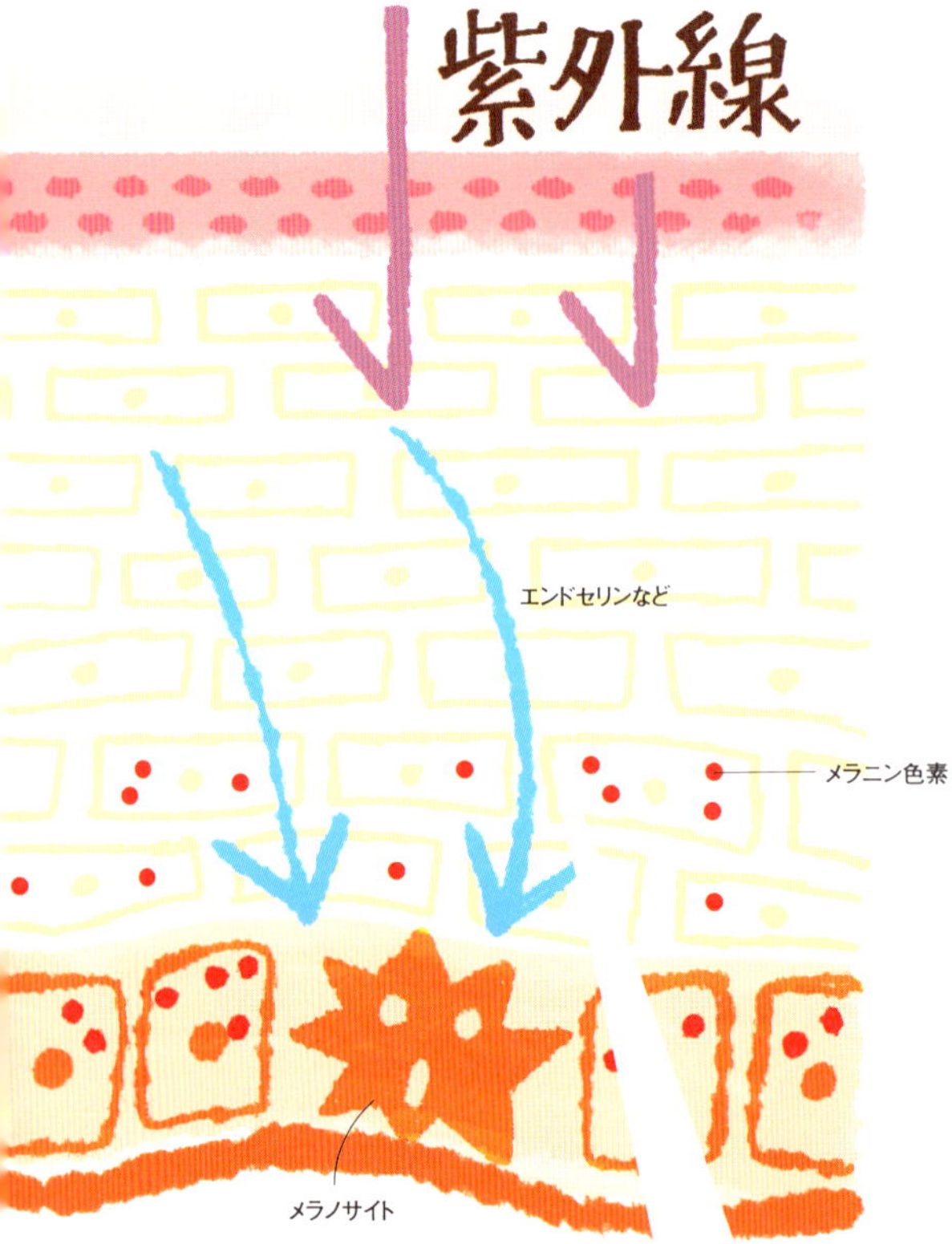

Step 1 メラニンをつくる指令が出される

紫外線が表皮細胞にあたると、肌の内部を守ろうとして表皮細胞から「エンドセリン」などの情報伝達物質が分泌される。これらの物質がシミのもととなるメラノサイトに「メラニンをつくれ！」と指示を出すのが第一歩。

STOP

美白成分 指令物質を抑制

メラニン色素をつくれ！ という指令を与えているエンドセリンなど情報伝達物質の働きを邪魔する。

- カモミラET
- トラネキサム酸
- t-AMCHA（t-シクロアミノ酸誘導体）など

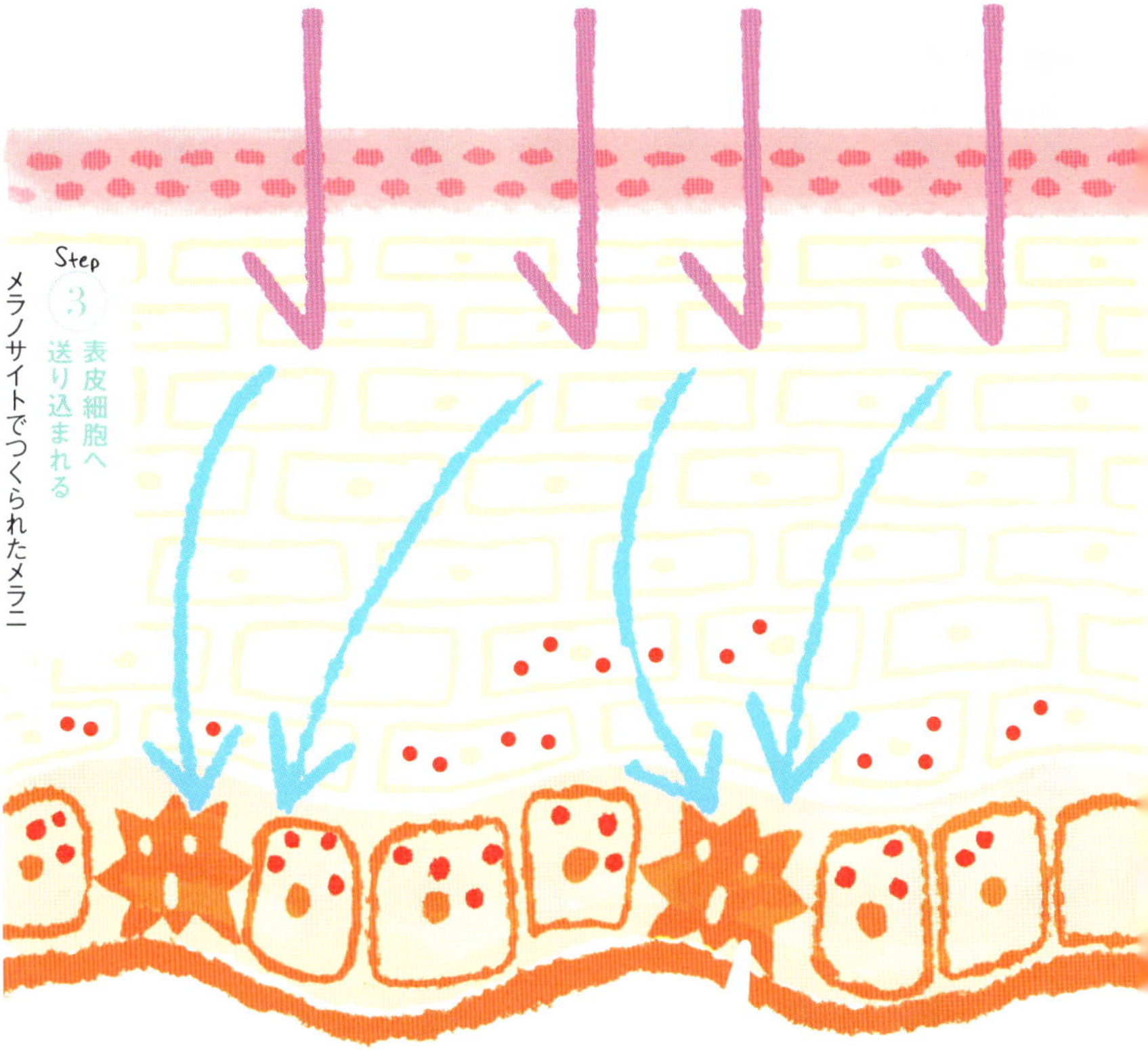

Step 3 表皮細胞へ送り込まれる

メラノサイトでつくられたメラニン色素は、表皮細胞へと徐々に受け渡されていき、ターンオーバーとともに角層へと上がっていく。

Step 2 メラニンがつくられ始める

エンドセリンなどの情報伝達物質がメラノサイトに届くと、メラノサイトの中でメラニン色素がつくられ始める。はじめにつくられるのが「チロシン」というアミノ酸。次に、メラノサイトにのみ存在する「チロシナーゼ」という酸化酵素が働いて、すぐにメラニン色素へと変化してしまう。

STOP

美白成分

チロシナーゼの働きを抑える

メラニン色素に変換してしまうチロシナーゼの働きを抑える。美白化粧品のほとんどはこれに該当する。

アルブチン　コウジ酸
エラグ酸　ルシノール
ビタミンC誘導体　プラセンタエキス
トラネキサム酸
油溶性甘草エキス（グラブリジン）　など

チロシナーゼを減らす

メラニン色素に変換してしまうチロシナーゼ自体を減らすように働く。

リノール酸　など

メラニン色素が肌に居座りシミの原因に

通常メラニンは、ターンオーバーとともに排せつされていきます。しかし、なんらかの影響でメラノサイトの過剰な活動が収まらず、メラニン色素がつくられ続けると、シミとなって残ってしまいます。

そのほかにも、ターンオーバーが遅くなってメラニン色素が残ってしまう場合もあります。

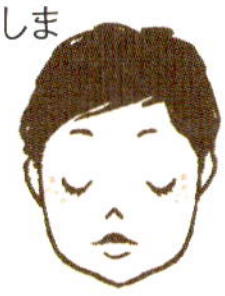

美白成分の種類

厚生労働省が認めているもの（医薬部外品）

ビタミンC誘導体
リン酸型ビタミンCなど、ビタミンCを肌に吸収しやすい形に変えたもの。抗酸化作用もあり、アンチエイジングやニキビの炎症を抑えるのにも役立つ。

アルブチン
もともとは苔桃《こけもも》から抽出された成分。濃度が高いと肌に刺激になることがある。

コウジ酸
みそやしょうゆなど、麹菌由来の成分。

エラグ酸
いちご由来の成分。

ルシノール
北欧のもみの木に含まれる成分をヒントにしてつくられた成分。ルシノールは商標名で、化学名は「4－n－ブチルレゾルシノール」。

リノール酸
サフラワー油などの植物油から抽出される。

カモミラET
ハーブのカモミールに含まれる成分。抗炎症作用も併せもつ。

トラネキサム酸
もともとは抗炎症剤として使われていたトラネキサム酸を、美白成分として開発したもの。

4MSK（4-メトキシサリチル酸カリウム塩）
慢性的なターンオーバーの不調に着目して研究開発された成分。

マグノリグナン
植物に含まれる天然化合物をモデルにしてつくられた成分。

プラセンタエキス
豚の胎盤から抽出された成分。

……など

それ以外のもの

油溶性甘草エキス（グラブリジン）
甘草という漢方薬から抽出した成分。消炎作用もあるので、かぶれにくく、肌の弱い人でも比較的使いやすい。

※そのほか火棘《かきょく》エキス、ルムプヤン、イモニガショウガエキスなど、さまざまなものがあります。

美白化粧品はどう選ぶ？

医薬部外品指定とそうでないものがある

美白化粧品には、右記のように医薬部外品[※1]指定の成分が含まれているものと、そうでないものがあります。必ずしも医薬部外品のほうが効くというものではありませんが、自分で選ぶ自信のない人は、医薬部外品から選ぶのもひとつの方法です。

肌で試しながら選ぶのがポイント

右記で紹介した以外にもまだまだたくさんの美白成分があり、それらを配合した美白化粧品も無数にあります。その中から、自分の肌に合う、そして効果のある一本を選ぶにはどうしたらよいのでしょうか？「ズバリ、これです！」という答えがほしい気持ちはわかりますが、残念ながら、肌で試しながら探していくしかありません。

なぜなら、人によって成分との相性があり、効果の出方が違うから。そのため、どの成分がとくに効いて、刺激が強い成分がどれなどとは、一概にいえないのです。

そのほかにも、肌に合う・合わないが人によって違うこともあります。そのため、自分の肌で試して確認していくしか方法がないのです。

ちなみに美容皮膚科では、ビタミンC誘導体やカモミラETなどの抗炎症効果のある成分をよく使います。かぶれにくいことと、アンチエイジング効果も同時に期待できるためです。

※1　医学部外品／端的にいうと、医薬品と化粧品の中間に位置するもの。何らかの肌への効果が認められているものとして、厚生労働省が認可した成分を化粧品に使用した場合に「医薬部外品」と表示ができる。あくまでも薬ではない。

美白化粧品は一年中使い顔全体に塗る

美白化粧品の真価は「予防」に現れる

「夏になったら美白化粧品を使い始めよう」「日焼けしたから美白化粧品を使おう」これではシミのお手入れとしては不充分です。

多かれ少なかれ紫外線は日々浴びているので、肌内部のメラニンは季節を問わず活動しています。それなのに美白ケアをほとんどしないとなると、メラニンの活動をたまにしか抑えていないことになります。できてしまったシミをなんとかするのは、時間も手間も相当かかります。美白ケアの基本はシミをつくらないという「予防に専念すること」なのです。

美白化粧品には、化粧水から美容液、乳液、クリーム、マスクなど、さまざまなアイテムがあります。どれを使えばいいのかと迷ってしまう人も多いはず。

ここでいちばん大切なのは、美白ケアは毎日行うことなので、サラッとした美容液など取り入れやすいアイテムを選ぶのが賢明だということ。

また、美白マスク（パック）を愛用される方も多いようですが、ときどきしか使わないのであれば、あまり意味がありません。美白美容液などを毎日使いつつ、マスクも定期的に併用するようにしましょう。

美白化粧品は一年中使い続けられそうな使用感のよいものを選びましょう。自分にとって無理のない価格の商品でかまいません。

パウダーメイクで新たにできるシミを予防

パウダーファンデにはUVカット効果あり

日焼け止め化粧品を塗ったあと、パウダーファンデーションを重ねるとより効果的です。その理由は、とくにUVカット効果がうたわれていなくても、パウダーファンデーションはすべて紫外線防止効果をもっているから。ファンデーションの粉体は、紫外線散乱剤と似たようなものなので、紫外線をはね返す力があります。

そしてこれは、いろんな女性の肌を見てきた実感なのですが、日焼け止め化粧品だけに頼ってファンデーションを塗らずにいると、どうしてもシミができやすいようです。これは日焼け止め化粧品を塗る量が少ないことも関係しているとは思いますが、ほかにも、塗りムラができてもわかりにくい、くずれてしまっても気づかないということもあるようです。

よりしっかりシミを防ぐ意味でも、パウダーファンデーションを重ねることが賢いUVカットになるのです。

ピーリングでメラニンを排出する

美白効果を高めるピーリング

美白ケアにピーリングをプラスすると、より効果が高まります。なぜなら、通常の美白化粧品がメラニン色素をつくるプロセスに働きかけるのに対し、ピーリングは、できてしまったメラニン色素がスムーズに排出できるよう手助けするものだからです。

できてしまったメラニン色素は通常、ターンオーバーのサイクルにのって排出されていきます。これを助けることはちょっと違う角度からのアプローチになるので、美白化粧品だけでは緩和されないシミにも試してみる価値があります。

前に述べた（P22参照）ように、ターンオーバーは加齢とともに遅くなり、メラニンが排出できなくなります。そこでピーリングを行うと、ターンオーバーを早める効果によって、メラニン色素を排出するスピードがアップすることになります。

そのほかにも、ピーリングをする余分な古い角質が取れるので、美白成分の浸透が高くなるという効果もあります。とくに、ボディにできたシミは取れにくいので、ピーリングがおすすめです。

シミをつくらせない濃くしない食品をとる

紫外線を浴びる季節はビタミンCを積極的にとる

シミ予防には、ビタミンCが有効です。ビタミンCはメラニンの沈着を抑え、できたメラニン色素を還元してシミを薄くする作用もあり、「美白ビタミン」とも呼ばれます。とくに紫外線を多く浴びる3月ごろからは、積極的な補給を。ただ、ビタミンCは体内に蓄えておけません。「とりだめ」ができないので、一日数回に分けての摂取がポイントです。

また新陳代謝を促し、シミを排出させる作用のあるビタミンAも有効です。ビタミンAは体内に蓄えておける性質があるので、多少のとりだめが可能です。

とりたい栄養素とおすすめの食品

（100gあたりの含有量）

ビタミンA		ビタミンC	
鶏レバー	14000μgRAE	赤パプリカ	170mg
うなぎ（かば焼）	1500μgRAE	黄パプリカ	150mg
モロヘイヤ	840μgRAE	菜の花（和種）	130mg
にんじん	720μgRAE	ブロッコリー	120mg
春菊	380μgRAE	かぶの葉	82mg
ほうれんそう	350μgRAE	カリフラワー	81mg
とうみょう	340μgRAE	とうみょう	79mg
西洋かぼちゃ	330μgRAE	ゴーヤ	76mg
大根の葉	330μgRAE	ピーマン	76mg
ルッコラ（ロケットサラダ）	300μgRAE	甘柿	70mg
にら	290μgRAE	キウイ	69mg
小松菜	260μgRAE	ルッコラ（ロケットサラダ）	66mg
かぶの葉	230μgRAE	いちご	62mg
菜の花（和種）	180μgRAE	さやえんどう	60mg
チンゲン菜	170μgRAE	ネーブル	60mg
プルーン（乾）	110μgRAE	パパイア	50mg
ブロッコリー	67μgRAE	キャベツ	41mg
にんにくの芽	60μgRAE	じゃがいも	35mg
		ミニトマト	32mg

※野菜の中にはβカロテンの形で含まれ、体内でビタミンAに変換されます。

シミを制す 究極レシピ

菜の花とうなぎは
シミ予防の最強コンビ

菜の花とうなぎのマスタード和え

ビタミンA　ビタミンC

材料(2人ぶん)

菜の花……………………………100g
市販のかば焼きうなぎ………50g
しょうゆ…………………………小さじ1
　粒マスタード…………大さじ1/2
　マヨネーズ……………大さじ1/2

つくり方

1. 菜の花は塩(分量外)を加えた熱湯で2分ゆで、冷水にとって水気をしぼる。半分の長さに切り、しょうゆをからめる。
2. うなぎは2㎝角に切る。
3. ①にAをからめ、②を加えて味をなじませる。

身近な食材で手間なくつくれて
美白効果も満点！

ブロッコリーとトマトのおひたし ビタミンA ビタミンC

材料(2人ぶん)

ブロッコリー……………………100g
トマト……………………1個(200g)
　水……………………大さじ1
　酢……………………大さじ1
　砂糖……………………大さじ1
　塩……………………小さじ1/2
　しょうがのすりおろし
　……………………1/2かけぶん

つくり方

1. ブロッコリーは小房に分け、塩(分量外)を加えた熱湯で1分ゆでる。ざるにとって手早く冷ます。
2. トマトはヘタを取って8㎜幅に切る。
3. ①と②の水気を軽くきり、盛り合わせて、Aをかける。

この悩みに
Pinpoint

消えない！　なんとなく濃くなってきた？

くま

目のまわりの特異な構造がくまを目立たせる

疲れた印象や老けた印象を与える、目の下のくま。じつはこのくまにも種類があり、それを知って対策を立てないとなかなか解消できません。

まずは、真の意味でのくまといえる青ぐま。これは血液が滞って青く見えるもので、血行不良が原因です。

二つめは、むくみやたるみによって現れる黒ぐま。このタイプがもっとも多いようなのですが、老化現象なのでアンチエイジングケアが必要になります。

三つめは、シミやくすみによる茶ぐま。これは目の下に小さなシミが連なるようにできてくまのように見えるようです。また、目をこすったり、目元に湿疹などがよくできたりする人は、角質肥厚や色素沈着が起こりやすく、それが茶色く見える要因になります。

このように、主に3タイプのくまがありますが、年齢とともに、どのタイプのくまも目立ちやすくなる傾向にあります。その理由は、目のまわりの構造にあったのです。

眼球のまわりは、クッションのような役割を果たすやわらかい脂肪で覆われていて、それをまぶたが支えています。でも、まぶたの皮膚はとても薄いうえ、皮脂腺が少ないために乾燥しやすく、神経も敏感な部分です。しかも、まばたきなどで絶えず動く部分なので、負担も相当かかっています。

ましてまぶたはメラノサイトの活動が盛んなため、とくに色素沈着を起こしやすい部分。こすったりするとすぐに黒ずんでくるのです。

どのタイプも目立つのには個人差があります。それは、まぶたの厚さや彫りの深さなど、顔の構造が人によって異なるためです。

✕カン違いスキンケア

- □アイメイクを落とすとき、コットンや手で強くこすっている
- □くまはすべて血行不良だと思い込み、がんばってマッサージしている

あなたのくまはどのタイプ？ 簡単チェック法

- 引っぱると薄くなるが完全には消えない　**青ぐま**
- 上を向くと薄くなる　**黒ぐま**
- 引っぱっても上を向いても変わらない　**茶ぐま**

くまのタイプに合わせたお手入れや治療を

血液のうっ血による青ぐま

目のまわりの毛細血管の血流が滞ることで起こる青ぐま。この最善の解決策は、血液の循環をよくすることです。血行促進といえば、まずマッサージ。顔全体の血液循環をアップさせるために、目のまわりだけではなく顔全体に行いましょう。

目のまわりは単に皮膚が薄いために青さが目立っているだけで、何も目のまわりだけが血行不良を起こしているわけではないのです。青ぐまが出ているときは顔全体の血行が悪い状態だと考えてください。

そのほか、皮膚全体の代謝を促す有効成分を配合したアイクリームもよいでしょう。たとえば、ビタミンE、高麗人参エキスやセージエキスなども代謝をよくする作用があるので、参考にしてください。

さらに、体全体の血液循環をよくするのも効果的です。それにはウオーキングなどの適度な運動がおすすめです。

むくみ・たるみによる 黒ぐま

下まぶたの薄い皮膚が、年齢とともに薄くなり弱ってくるために、たるんで影ができてしまうのが黒ぐま。むくみが加わると、さらに目立つという特徴があります。対処法としては、原因となるたるみを緩和するため、コラーゲンを強化するお手入れが必要に。それには、レチノールやビタミンC誘導体、ピーリング剤などコラーゲンを増やす作用のある成分を配合した化粧品を使うといいでしょう。これらの有効成分はシワにも有効なので、使い続ければ一挙両得の効果が得られます。

むくみに関しては、冷たい飲み物や塩分を控える、運動をするなどのほか、目のまわりのツボ押しなどが有効です。

黒ぐま予防に有効なツボ

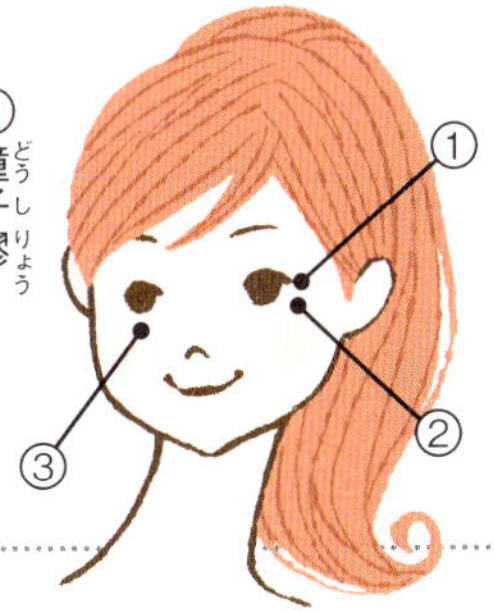

①瞳子髎《どうしりょう》
目尻の端のくぼみにあるツボ。額のニキビにも効く。

②救後《きゅうご》
目の下の骨の際で、目尻から目頭に向けて四分の一内側にある。目尻の小ジワにも有効。

③四白《しはく》
目の下中央から親指1本ぶん下に位置する。顔全体のむくみ、シワ、くすみにも効く。

シミ・くすみによる 茶ぐま

小さなシミの集合体や、こすることによる色素沈着や角質肥厚などが茶ぐまの正体です。どれもメラニン色素が関係しているので、通常の美白ケアと同じお手入れを行ってください。

もし、こすりすぎなどで角質が厚くなっているのであればピーリングが効果的です。ただし、かゆみがあったり、湿疹ができていたりする場合、ピーリングができないので、まずは皮膚科で相談してください。

くまのタイプに合わせ効果的な栄養をとる

血液サラサラ素材や美白ビタミンが有効

青ぐまの予防には、血液をサラサラにする「葉酸」をとりましょう。また、血液中のヘモグロビンの材料となる「鉄分」も有効。ヘモグロビンは酸素を運搬し、血行を促します。

たるみによる黒ぐまは、食事で緩和するよりはスキンケアのほうが効果的。むくみには、塩分を控えることと、小豆やはと麦が有効。

茶ぐまに効果を発揮するのは、シミと同様、メラニンの生成を抑える「ビタミンC」。たとえ少しずつでもいいので、一日数回に分けて補給をしましょう。

とりたい栄養素とおすすめの食品

（100gあたりの含有量）

鉄　青ぐま

鶏レバー	9.0mg
刻み昆布	8.6mg
高野豆腐	7.5mg
牛レバー	4.0mg
あさり	3.8mg
がんもどき	3.6mg
納豆	3.3mg
小松菜	2.8mg
ほうれんそう	2.0mg
ルッコラ（ロケットサラダ）	1.6mg
赤身まぐろ	1.1mg

葉酸　青ぐま

焼きのり	1900μg
鶏レバー	1300μg
牛レバー	1000μg
豚レバー	810μg
菜の花（和種）	340μg
枝豆	320μg
モロヘイヤ	250μg
アスパラガス	190μg
ルッコラ（ロケットサラダ）	170μg
キャベツ	78μg

ビタミンC　茶ぐま

赤パプリカ	170mg
黄パプリカ	150mg
菜の花（和種）	130mg
ブロッコリー	120mg
かぶの葉	82mg
カリフラワー	81mg
ゴーヤ	76mg
ピーマン	76mg
ミニトマト	32mg
トマト	15mg

これらの栄養素を集中摂取できる究極レシピは次ページをチェック!

くまを制す 究極レシピ

血液循環を促すルッコラが
青ぐま解消に効く！

青ぐまタイプ

ルッコラと紫たまねぎとトマトのサラダ 鉄 葉酸

材料(2人ぶん)

ルッコラ(ロケットサラダ)…50g
紫たまねぎ……………………1/4個
トマト……………………1個(200g)
オリーブ油…………………大さじ1
塩………………………………少々
バルサミコ酢または酢 … 大さじ1～2
黒こしょう………………………少々
(あれば)生ハムなど……………6枚

つくり方

1. ルッコラ(ロケットサラダ)は5cmに切り、紫たまねぎは繊維を断つように薄く切る。
2. トマトは乱切りにする。生ハムはちぎる。
3. ①②をボウルに入れ、オリーブ油をからめる。塩・バルサミコ酢を加えてまぜ、こしょうをふる。
4. ③を器に盛る。

塩分ひかえめでもおいしいカレー味は
むくみが原因の黒ぐまにもぴったり

茶ぐまタイプ

黒ぐまタイプ

鶏手羽と根菜のスープカレー

ビタミンC

材料（2人ぶん）

鶏手羽先……………………………2本
鶏手羽元……………………………2本
トマト……………2個（300～400g）
ごぼう …………………1/2本（80g）
にんじん ………………1/2本（80g）
オリーブ油…………………… 大さじ1
バター ……………………………15g
しょうが・にんにくのみじん切り
……………………… 各1/2かけ
薄力粉 ………………………大さじ1
カレー粉 ……………………大さじ2
A 塩 ………………… 小さじ1/2
A 中濃ソース…………… 大さじ2
A 砂糖 …………………………少々
A 水…………… 1～1と1/2カップ
ベビーリーフ……………………適宜

つくり方

1. トマトはヘタを取って1㎝角に切る。
2. ごぼうは皮をこそげて5㎝幅に切り、太ければ縦半分に切り、水に5分さらす。にんじんは1㎝厚さに切る。
3. 直径20㎝くらいの鍋にオリーブ油・バターを熱し、しょうが・にんにくを炒める。香りが出たら薄力粉・カレー粉を入れて2分弱火で炒める。
4. ごぼう・にんじんを加え2分炒める。鶏手羽先と手羽元を加えて全体にカレー粉がからんだら、トマトを加えてひとまぜする。
5. Aを加えて中火で煮立て、弱火にしてフタをし、途中よくまぜながら30分煮る。
6. 器に盛り、ベビーリーフを飾る。

ビタミンCの含有量が
トップクラスのパプリカは
茶ぐま予防に最適

茶ぐまタイプ

あさりとキャベツとパプリカのにんにく蒸し煮

ビタミンC

材料(2人ぶん)

あさり(殻つき)………………300g
塩(砂抜き用)…………………適宜
キャベツ……………………250g
赤パプリカ……………………1個
パセリのみじん切り……大さじ2
にんにく…………………1/2かけ
白ワイン …………………大さじ2
水………………………1/3カップ
塩………………………小さじ1/3
オリーブ油………………大さじ1

つくり方

1. あさりは海水程度の塩水に浸して砂を吐かせる。キャベツは3cm角にちぎり、パプリカは短冊に切る。にんにくはつぶす。
2. 直径24 ～ 26cmのフライパンにオリーブ油を熱し、にんにく・パセリを炒める。
3. 香りが出たら、キャベツ・パプリカを炒め、全体に油が回ったら、あさりをのせて白ワインをふり、塩・水を加えフタをする。
4. 煮立ったら、中火で5 ～ 6分、フタを取って水分を飛ばしながら強火で1～2分煮る。

この悩みに
Pinpoint

深くなってきた！　確実に増えてきた!!

シワ

シワは段階やタイプに合わせたケアを

シワは乾燥によってできると思われがちですが、実際には真皮のコラーゲンやエラスチンの変性・減少が主な原因です。シワは次のような過程でできていきます。

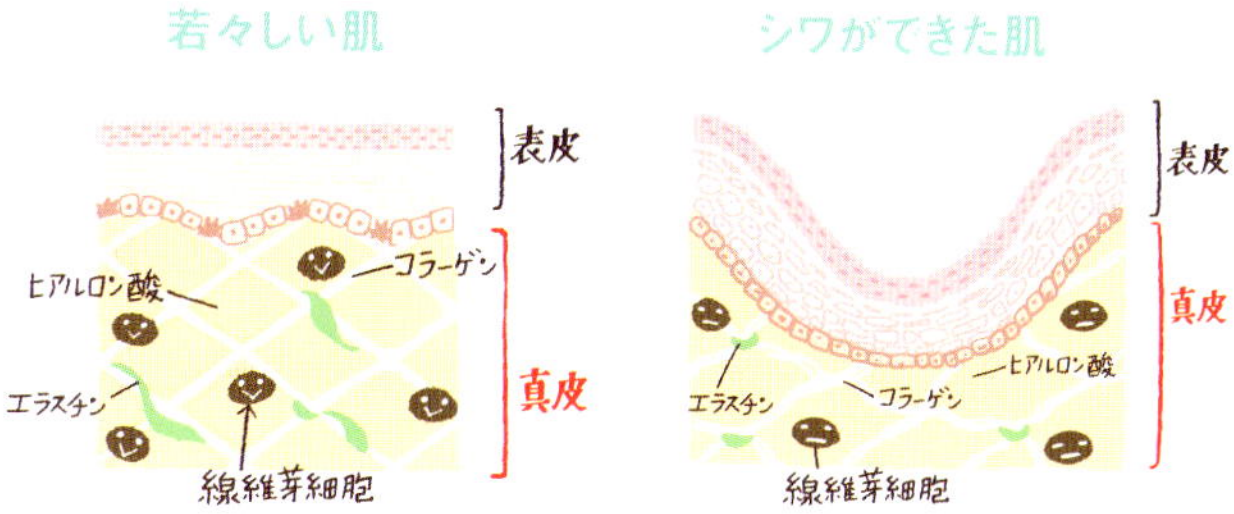

×カン違いスキンケア

- □小ジワの進行を食い止めるために化粧水でたっぷり水分補給
- □シワ予防のためにコラーゲンのサプリメントやドリンクをとる

第一段階は「ちりめんジワ（小ジワ）」。浅く細かいシワで、乾燥すると目立ちます。ただ、肌がうるおうと回復する軽いものです。

次は、顔の動きに合わせてできる「表情ジワ」。若い肌なら表情が戻れば見えなくなるのですが、年齢を重ねるにしたがって深くなり、元に戻らなくなります。そして最終的に、真皮のコラーゲン線維が変性したり断裂したりすると、深いシワが刻まれていきます。

コラーゲン線維は肌の弾力をつかさどっているもので、年齢とともにだんだん弾力を失い、量自体も減ってしまいます。そのため、今までは戻っていた表情ジワが、元に戻らなくなってしまうことに。さらにコラーゲンの減少とともに真皮が薄くなり、シワができやすい環境になります。こうして刻まれた深いシワは、セルフケアでは消せません。食事からコラーゲンをとっても、そのまま肌のコラーゲンにはならないので（P178参照）、予防には不充分です。

真皮のシワができるのを遅らせるためには、皮膚科学基準の正しいアンチエイジングケアが必要になってくるのです。

目元
動きが激しく、皮膚が薄くて弱いためにシワができやすい。
額&眉間
頭皮がたるむと額のシワも深くなる。髪を結うときに、頭皮を引っぱりすぎないように。
口元
たばこを吸う人や歯周病などで歯肉がやせた人は、口元に細かいシワが入りやすい。口の両側にできる「法令線」はたるみの一種（P191参照）。

ちりめんジワには保湿成分が効果的

浅く薄いシワは乾燥が原因

皮膚科医

目元によくある浅く薄いシワ。この原因は、乾燥です。これは大人だけでなく、子どもにもよく見られます。解決策としては、朝晩のスキンケアでしっかりと保湿をすること。セラミド配合の保湿美容液などで角層に水分を与えつつ、クリームなどで油分もプラスしておきましょう。

また、このちりめんジワを放っておくと、真皮のシワに進行すると思われがちですが、これらはまったくの別物です。子どもにもよく見られるちりめんジワは、放っておいても真皮のシワに進行しないですよね。あくまで、ちりめんジワの原因は乾燥なので、もし保湿をしっかり行っても解消されない場合は、すでに表情ジワや真皮のシワに進行していると考えられます。その場合お手入れをアンチエイジングケア（P180参照）にシフトしなければなりません。

食べても飲んでもコラーゲンは増えない!?

「不足するコラーゲンは、食品やドリンクで補えばいいのでは?」と考える人も多いようです。しかし口から入れたコラーゲンは、胃腸でアミノ酸に分解され、その時点でコラーゲンではなくなります。またそのアミノ酸は、体内で必要に応じて新しい皮膚や筋肉など、いろいろなものにつくり替えられるのですが、再びコラーゲンの形に戻って肌に定着するとは限りません。

肌をまるごと活性化させるマッサージで予防・改善

肌全体の代謝を上げることが予防につながる

まず角層が乾燥していて硬いと、シワはより目立つという特徴があります。そこで、しっかり保湿を行い、角層をやわらかい状態に保っておくのがポイントの一つです。

さらに、ちりめんジワにしろ、表情ジワや真皮のシワにしろ、できてしまう要因に代謝の悪さがからんでいます。代謝を上げるには、マッサージがいちばん有効です。なぜかというと、肌全体の血液循環や、線維芽細胞の代謝や、皮膚をつくる表皮細胞などをまとめて活性化できるので、総合的なアンチエイジング効果が期待できるのです。

ただし、真皮のシワにまで進行してしまっていると、改善はなかなか難しくなりますので、早め早めにケアしていくことが何より重要です。

美顔器でのケアもおすすめ

自己流のマッサージでは不安という人には、美顔器でのケアがおすすめです。最近では、自宅で使える美顔器が数多く発売されています。超音波の美顔器は、微振動が肌の奥にまで届き、真皮を活性化させる効果があるので、シワやたるみケアなどに取り入れるといいでしょう。

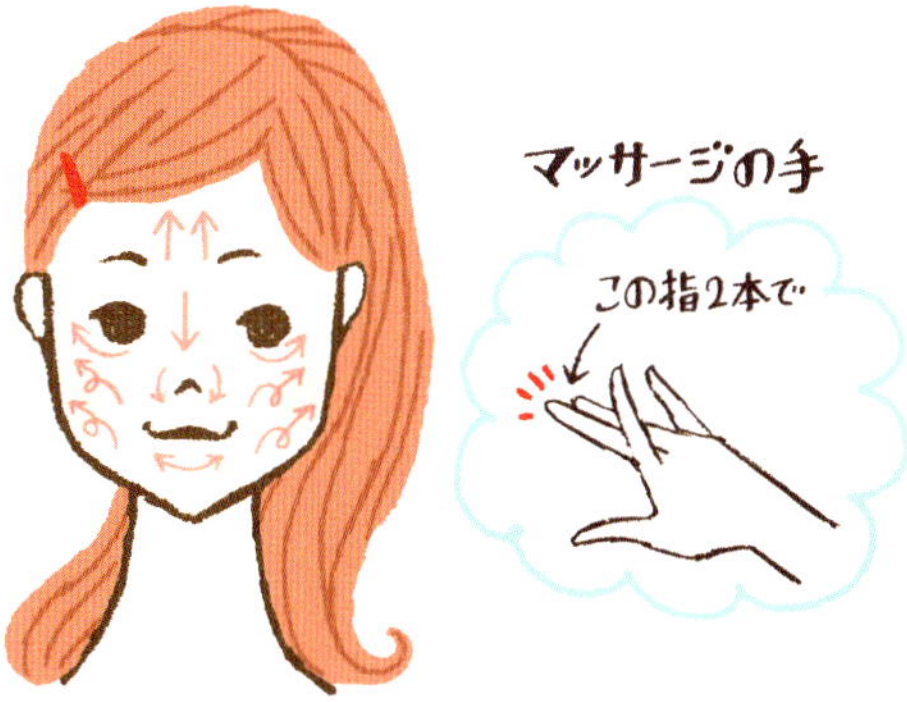

コラーゲンを増やす化粧品でシワの本格化を予防

真皮のシワにはアンチエイジング化粧品を

真皮のシワは、今まで元に戻っていた表情ジワが元に戻りにくくなっていき、徐々に深く刻まれたもの。原因は、真皮にあるコラーゲン線維などが弾力を失うから。このようなコラーゲン線維の変性には、加齢だけでなく、紫外線も大きな影響を及ぼしています。

対策法としては、コラーゲンの量を増やす作用のあるレチノール※1やビタミンC誘導体などを配合した化粧品を取り入れるといいでしょう。これらの化粧品は、シワはもちろんたるみなどにも効果的なので、一本もっておくと重宝します。

さらに、UVカットを万全に行うことも重要。深くなってしまったシワを完全に消すのは至難の業なので、しっかり予防しましょう。

首のシワは老化のせいだけではない

首の横ジワを気にするあまり、首にクリームなどをたっぷり塗る人もいますが、じつはあまり意味がありません。首のシワが目立つのは、もともとの骨格による問題が大きいからです。頸椎という首の骨や、それに沿って並ぶ軟骨などが皮膚の下にあり、その凹凸によってシワができやすいのです。またマッサージなどで引っぱると、よけいにシワができるので注意しましょう。

※1　レチノール／P182参照

コラーゲンを増やすレチノールで
ハリと弾力をキープ

シワに有効な成分はこれ

ビタミンC誘導体

リン酸型ビタミンCなど、ビタミンCを肌に吸収しやすい形に変えたもの。美白作用もある。若干ではあるが皮脂を抑える効果があり、ニキビ予防や毛穴対策などにも有効。ニキビの炎症を抑えるのにも役立つ。

レチノール

ビタミンAの一種で、もともと人間の体内にあるもの。線維芽細胞に働きかけて真皮のコラーゲンを増やす作用がある。やや刺激が強いので、使い始めは効きすぎると肌がカサつくこともあるが、使い続けるうちに落ち着いてくる。

AHA

ピーリングコスメに配合されている成分。グリコール酸、乳酸、フルーツ酸などがこれにあたる。石けん、パック、拭き取り化粧水など、いろいろなものに配合されているが、もっとも使いやすいのは石けんタイプ。拭き取りタイプはやや刺激が強い。週1~2回の使用から開始し、慣れてきたら回数を増やすとよい。

ナイアシン（ビタミンB_3）

肌代謝を活性化し、肌にハリを出す。ニキビにも有効。刺激が少なく使いやすいので、肌が弱いけれどアンチエイジング化粧品を試してみたいという人向き。

抗酸化成分（油溶性甘草エキス、オウゴンエキス、各種植物ポリフェノールなど）

植物エキスが多く用いられる。

……など

○＝20代から予防として使うのがおすすめ
●＝30代からの積極的なケアに

Type 1 老化の原因となる活性酸素[※1]を抑える
○ 抗酸化成分

※1　P186参照

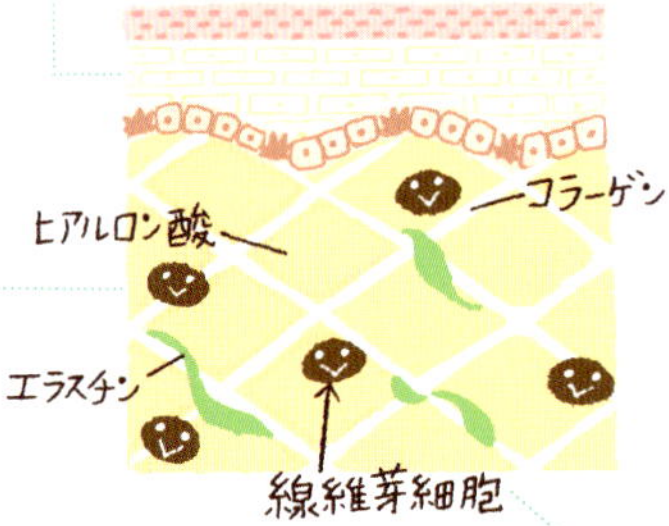

Type 2 肌全体の代謝を上げる
○ ナイアシン
● AHA

Type 3 ここに働きかけて真皮全体を活性化
○ ビタミンC誘導体
● レチノール

シワの原因となる古い角質をピーリングで取り除く

ターンオーバーを速めてシワを予防

年齢とともに遅くなるターンオーバー。これは肌の機能が老化して衰えてくるから。そこで機能を活性化するため、古い角質をピーリングで取ってあげると肌の代謝が上がり、下から新しい皮膚が生まれてきます。いわば、肌の若返り作用です。ピーリングはちりめんジワだけでなく、シミや毛穴の開きにまでトータルに働きかけてくれます。

ただし、ホームピーリングをする際には、アイテム選びに注意が必要です。いちばんおすすめは洗い流すタイプのもの。肌への刺激がいちばん少なく、どんな肌質の人にも比較的合いやすいのが特徴です。

ゴマージュなどもピーリング作用がありますが、物理的刺激があり、強くやりすぎると肌を傷めるおそれもあるので充分に注意しましょう。

ピーリング後はビタミンCのイオン導入を

ピーリングで古い角質を取った肌はまっさらな状態なので、化粧品をふだんより吸収できるようになります。このタイミングで、イオン導入機という美顔器を使って、ビタミンC誘導体のイオン導入をすると、肌への浸透が高まり、とても効果的です。ピーリングとセットでお手入れするのをおすすめします。

卵巣を活性化させるツボ押しやエクササイズを

エストロゲンが減るとコラーゲンも減少！

卵巣から分泌されるエストロゲン（別名、卵胞ホルモン）は、美しさや若さのホルモンといわれています。このエストロゲンは、肌のコラーゲンを守ったり、肌の水分量を増やしたり、女性らしいボディラインをつくったりする働きをもっているのです。

ですが本来、エストロゲンは妊娠、出産のためのホルモン。そのため、20代にもっとも多く分泌され、35歳を過ぎるとその分泌量は減り、40代で急激に低下します。

また骨盤の血流が停滞すると、卵巣の機能も低下するといわれています。せっかくのエストロゲンを減らさないためにも、血行をよくするツボ押しやエクササイズをすると効果的です。座り仕事の多い女性は、ぜひ取り入れてみてください。

ツボ押し

お風呂に入るときなどに押すだけなので簡単。

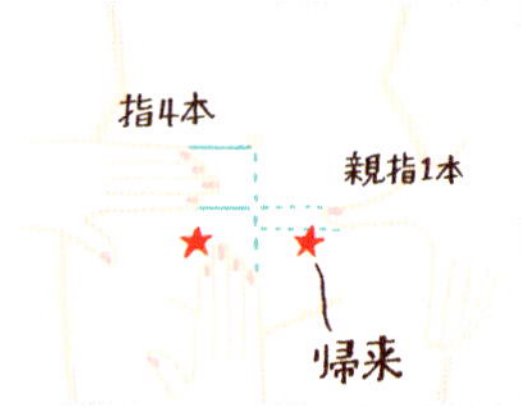

帰来《きらい》…おへそから指4本ぶん&親指1本ぶん下、中央から指3本ぶん両外側にある。

三陰交《さんいんこう》…内くるぶしのもっとも出っぱった部分から指幅4本ぶん上にある。

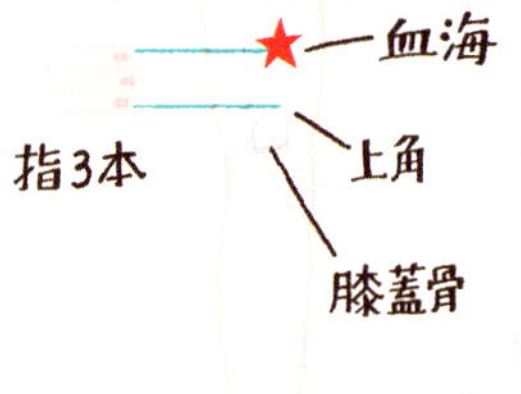

血海《けっかい》…ひざの内側の上角から指3本ぶん上に位置する。生理痛などにも有効。

骨盤開閉エクササイズ

骨盤周辺の筋肉がガチガチに凝っていると、その一帯の血流が停滞するので骨盤の中にある卵巣にも血液がうまく運ばれません。骨盤の開閉を促すこのエクササイズで骨盤周辺の筋肉を効果的に動かし、血流をスムーズにしましょう

骨盤を開く

ピラミッドのポーズ

両足を開いて立ち
深呼吸

▼

肩の力を抜き
上半身を倒す

▼

上半身をできるだけ
前に倒した状態で
30秒キープ!

回数　2〜3回程度

骨盤を閉じる

三角のポーズ

両足を開いて立ち
両手を広げる

▼

背すじをのばしたまま
左手で右ひざをタッチ

▼

左手を真上にのばし
顔も天井を向け
30秒キープ!

回数　左右各2〜3回程度

漢方薬の当帰にもエストロゲン様作用がある

漢方薬の当帰にもエストロゲン様作用があるといわれていて、不妊や更年期の治療として婦人科でも使われています。当帰を含む漢方薬はいろいろあるので、自分の体質に合ったものを病院で処方してもらったり、薬局で相談のうえ購入したりしてみるのもいいでしょう。また大豆イソフラボンにもエストロゲン様作用があることもよく知られていますね。一日に納豆1パック、もしくは豆腐半丁を目安に取り入れて。

W　Q

シワのここが知りたいQ

そもそも なぜ肌は老化するの？

紫外線の影響や間違ったスキンケアなどで、肌の老化が進むことは、すでにお伝えしたとおりです。さらに私たちが「オギャー」と生まれた瞬間から、肌老化の時計の針を刻一刻と進めているものがあります。その正体が〝活性酸素〟です。

鉄がさびたり、皮をむいたりんごが茶色くなったりするのは酸化が原因ですが、人体の細胞を酸化させてしまうのが活性酸素。この活性酸素によって、いわば「肌がさびつく」ことが、肌老化の最大の原因なのです。

私たちが酸素を吸って呼吸するだけでも、活性酸素が発生します。つまり、人間が生きていくうえで、老化は避けて通れないものなのです。

そのほか、ストレスやたばこ、食品添加物、油っこい食事も、活性酸素を増やします。

年齢による肌の活性酸素除去酵素量の推移

本来、人間の体は増えすぎた活性酸素を取り除く酵素（SOD）をつくり出すことができる。しかし、グラフを見てもわかるとおり、この酵素の量は30代をピークに減っており、抗酸化力の低下がうかがわれる。

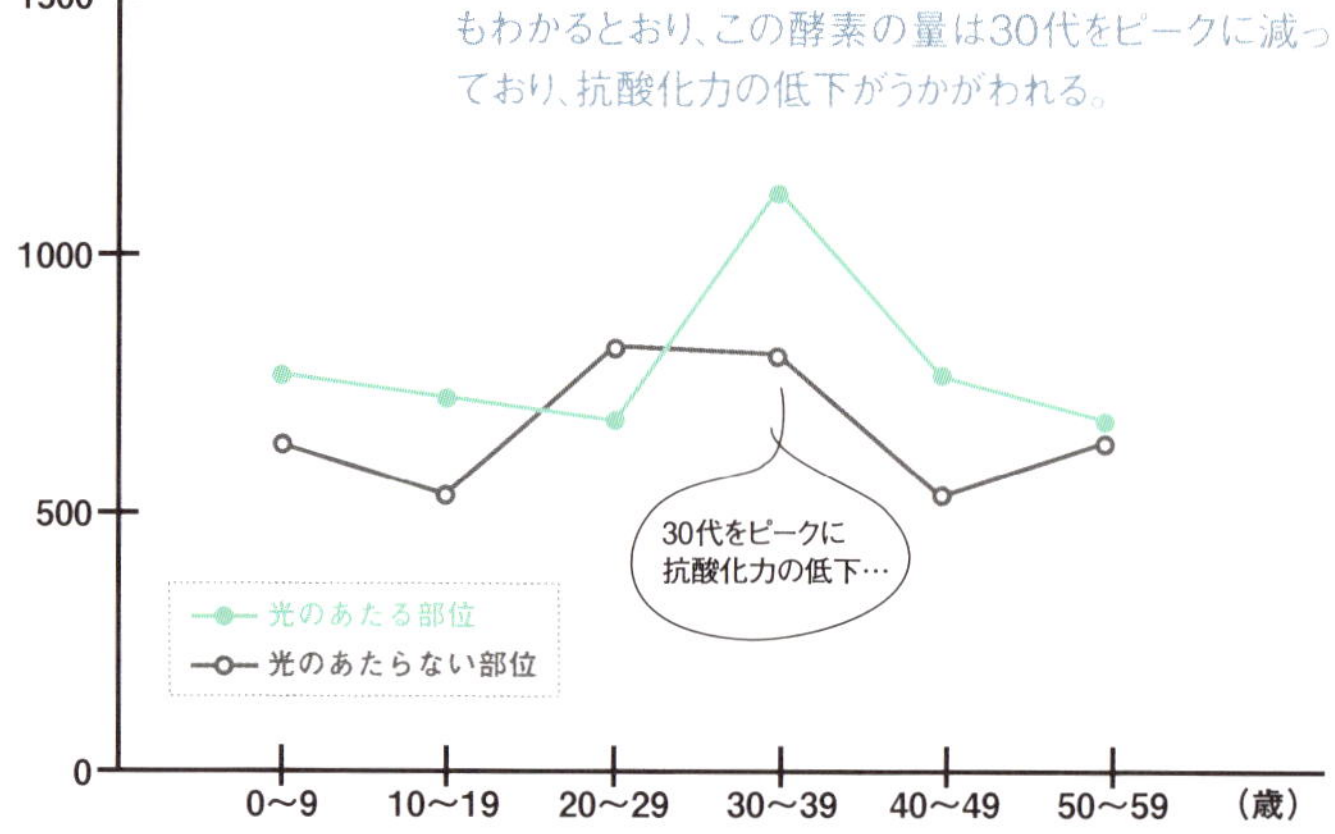

出典　日皮会誌97(11) 1987　ヒト皮膚科中のSuperoxide dismutaseに関する研究

効果的な食べ合わせで シワに強いハリのある肌をつくる

抗酸化物質をとるのがシワ予防の秘策

シワ予防には、肌老化の原因となる活性酸素を除去する「抗酸化物質」をとりましょう。

皮膚の中には、ウロカニン酸やグルタチオンなどの抗酸化物質があり、紫外線が生み出す活性酸素を除去しています。しかし、それらは年齢とともに減るため、食べ物から抗酸化力を補うことが必要。

ビタミンA・C・Eは、とくに抗酸化力にすぐれた栄養素です。ビタミンA・C・Eは、まとめてとることによって抗酸化作用の相乗効果が期待できます。

とりたい栄養素とおすすめの食品

（100gあたりの含有量）

ビタミンA

うなぎ（かば焼）	1500μgRAE
モロヘイヤ	840μgRAE
にんじん	720μgRAE
春菊	380μgRAE
ほうれんそう	350μgRAE
西洋かぼちゃ	330μgRAE
ルッコラ（ロケットサラダ）	300μgRAE
にら	290μgRAE
チンゲン菜	170μgRAE
赤パプリカ	88μgRAE

※野菜の中にはβカロテンの形で含まれ、体内でビタミンAに変換されます。

ビタミンC

赤パプリカ	170mg
黄パプリカ	150mg
菜の花（和種）	130mg
ブロッコリー	120mg
カリフラワー	81mg
とうみょう	79mg
ゴーヤ	76mg
ピーマン	76mg
西洋かぼちゃ	43mg
ミニトマト	32mg

ビタミンE

アーモンド（フライ）	29.4mg
ツナ缶	8.3mg
たらこ	7.1mg
モロヘイヤ	6.5mg
西洋かぼちゃ	4.9mg
うなぎ（かば焼）	4.9mg
赤パプリカ	4.3mg
アボカド	3.3mg
ほうれんそう	2.1mg
するめいか	2.1mg

シワを制す
究極レシピ

ビタミンA・C・Eの組み合わせで
抗酸化作用を最大限に引き出す

蒸し野菜　肉みそかけ　ビタミンA　ビタミンC　ビタミンE

材料(2人ぶん)

かぼちゃ……………………1/8個(150g)
にんじん……………………1本(150g)
豚ひき肉……………………100g
ごま油……………………小さじ1
　赤みそ……………………小さじ2
　砂糖……………………大さじ1/2
　酒……………………大さじ3
　刻み白ごま……………………大さじ1
　片栗粉……………………小さじ1

つくり方

1. かぼちゃは4㎝角に切り、にんじんは2㎝の輪切りにする。20～25㎝の耐熱皿に広げて大さじ1の水をかけ、ラップをふんわりして600Wの電子レンジで6分加熱する。
2. 小鍋にごま油を熱し、ひき肉を炒める。半分色が変わったらAを加える。煮立ったらよくまぜながら弱火で少しとろみがつくまで煮る。
3. 器に①を盛り、②をかける。

加熱時間が短くてすみ
ビタミンCを効率よくとれる！

カリフラワー・パプリカのごましら和え

ビタミンA ビタミンC ビタミンE

材料（2人ぶん）

カリフラワー……………………100g
パプリカ（赤・黄）…各1/2個（150g）
しょうゆ…………………………小さじ1
　白練りごま ……………大さじ2
　しょうゆ…………………小さじ2
　砂糖………………………小さじ2
木綿豆腐……………1/2丁（150g）

つくり方

1. カリフラワーは小房に分けてから薄切りにし、パプリカはせん切りにする。熱湯で1分ゆでてざるにとり、水気をきる。粗熱をとって小さじ1のしょうゆをからめる。
2. ボウルにAの材料を順に練りまぜておく。
3. 豆腐は4つに割って、ひとかけずつつぶしながら水気をしぼり、ボウルに入れてよくまぜる。
4. 水気をきった野菜を加えまぜる。

この悩みに
Pinpoint

たるみ

下がってきたかも！　二重あごの気配!?

顔立ちによって たるみの現れ方は異なる

たるみはシワと同様、真皮のコラーゲンやエラスチンの変化によって起こります。コラーゲンが弾力を失ったり、コラーゲンどうしのネットワークを維持するエラスチンが減少したりすると、線維全体のネットワークがくずれます。こうして、肌はたるむのです。

じつは、たるみとシワの原因は同じなので、対策も同じ。ただし、その人の顔立ちなどによって、現れる部分が異なることがあります。

たるみの現れ方には「たるみ毛穴」「涙袋」「二重あご」「法令線」などがあります。それぞれのたるむ構造を説明していきましょう。

×カン違いスキンケア

- □ 独自の方法で強いマッサージを行っている
- □ ふだん、たるみをグッと引き上げるように化粧品をつけている

まず❶**たるみ毛穴**は、初期のたるみ。多くの人が、頬などの毛穴の開きからたるみを感じ始めるようです。若いときは、ハリのあるコラーゲンが毛穴をまわりから支えています。しかしコラーゲンが緩んでくると、それを支えきれなくなって毛穴が開いてきます。

❷**涙袋**は、もともと薄い目元の皮膚がたるみ、眼球のまわりにある脂肪を支えきれなくなって、下まぶたの皮膚が、ぷくっと膨らんだように見えてしまうことをさします。

❸**二重あご**は、フェイスラインのたるみ。体重が増えたわけでもないのに二重あごになるのは一種のたるみ。頬からあごまでが顔の中でもっとも脂肪の厚い部分で、それを皮膚が支えきれなくなると二重あごに見えます。

最後に❹**法令線**は、よくシワと間違えられますが、じつはたるみが原因。頬の厚い脂肪を支える皮膚や皮下組織がたるんで顔全体が下がってきているのです。残念ながら、化粧品での解消は困難。美容皮膚科で行うヒアルロン酸注入（P215参照）などでないと緩和は難しいようです。

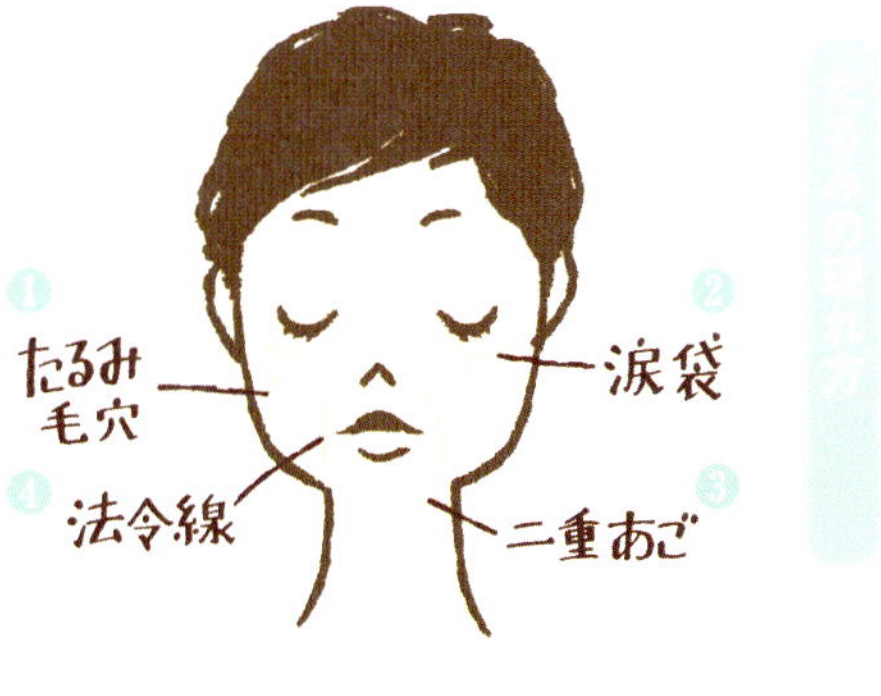

たるみ予防にはシワと同じお手入れを

原因は同じだから化粧品は1つでOK

「たるみ毛穴」「涙袋」「二重あご」「法令線」のいずれも原因は同じで、コラーゲンの弾力が弱まって脂肪などを支えきれず、たるんでしまうということ。さらにシワも、コラーゲンの変性という意味では同じ原因なのです。

よく「たるみ毛穴用」「シワ用」など、それぞれに対応した化粧品がありますが、どれもコラーゲンに働きかけるという点では同じはず。つまり、そういった化粧品を一本、毎日のスキンケアに取り入れればいいでしょう。

成分的な目安としては、コラーゲンを増やす作用のあるビタミンC誘導体やレチノールなどがあります。たるんでしまってから、それを解消していくのは難しいので、たるみが進行しないよう早めにケアを始め、予防していくことがいちばん重要です。

代謝を高めるマッサージも有効

たるみには、必ずしも老化とはいえない要因が存在します。たとえば皮下組織の脂肪細胞が大きく重くなってしまうことや、血行やリンパの循環が低下して、むくんでしまうことなどが考えられます。「単なるむくみだから」と放っておくと、真皮の組織の機能低下にもつながるといわれています。

もちろんアンチエイジング化粧品を使った

り老化を招く紫外線をしっかり防いだりする対策は必要ですが、それ以外にマッサージによって真皮の活性化をはかるのも効果的。

マッサージには、代謝を高めてむくみを予防し、皮下脂肪をつきにくくする効果もあるのです。

二重あごの予防には筋肉トレーニング

器具を使ったトレーニングも効果的

フェイスラインのたるみの原因は、コラーゲンの変性だけでなく、筋肉の緩みとも関係しています。顔にある表情筋は皮膚にくっついているので、筋肉が緩むと皮膚もいっしょに緩む＝たるんでしまうのです。

それを予防するには、筋肉を鍛えるトレーニングが必要。表情筋エクササイズよりは、器具などを使って行う運動がおすすめです。なぜかというと、無理に表情をつくる運動をすると、よけいに表情ジワを深くしてしまうケースがあるからです。

その1

口からあごにかけての筋肉を鍛えるには、口にはさんで使うタイプの市販のグッズを使うとよい。

その2

ペットボトルにごく少量の水を入れて唇でくわえて持ち上げ、そのまま10秒キープ。このとき、歯は使わない。これを3回くり返す。慣れてきたら、徐々に水を増やして負荷をかけていく。

つねに顔に緊張感をもつことも大事

無意識にだらんとした表情グセがついていると、筋肉を甘やかすため、たるみが進み、よけいに老けこんで見えてしまうので注意しましょう。

完全テクニック 3

肌にハリや弾力をもたらす食品をとる

咀嚼回数が増える食材でたるみを予防

たるみの原因は基本的にシワと同じなので、抗酸化力の高いビタミンA・C・Eをとると有効です（P187参照）。とくにビタミンCは、老化の原因となる過酸化脂質を抑える働きもあります。

また最近は、やわらかい食べ物が多くなって、咀嚼《そしゃく》（噛《か》む）の回数や力がそれほど必要なくなったこともフェイスラインのたるみの一因です。さつまいもやごぼうなどの食物繊維、砂肝のように硬く歯ごたえのある肉や骨つき肉など、噛む回数が増える食材を積極的にとるとよいでしょう。

とりたい栄養素とおすすめの食品

（100gあたりの含有量）

食べにくく歯ごたえのあるもの	食物繊維	
骨つき肉（鶏手羽先・手羽元）	おから	11.5g
砂肝	大豆（水煮）	6.8g
れんこん	納豆	6.7g
いんげん豆	モロヘイヤ	5.9g
にんにくの芽	ごぼう	5.7g
昆布	ブロッコリー	4.4g
大根	生しいたけ（菌床栽培）	4.2g
きゅうり	えのきだけ	3.9g
たこ	切り干し大根（ゆで）	3.7g
いか	ひじき（ゆで）	3.7g
干しいも	そば（乾）	3.7g
干しいちじく	西洋かぼちゃ	3.5g
アーモンド	たけのこ（ゆで）	3.3g
炒り大豆	玄米	3.0g
ミニトマト	ほうれんそう	2.8g
干ししいたけ	にんじん	2.8g
枝豆	さつまいも	2.8g
セロリ	スパゲティ（乾）	2.7g
りんご	れんこん	2.0g

たるみを制す 究極レシピ

噛む回数を増やす骨つき肉や根菜類が
たるみに効く

手羽先と根菜・さつまいもの スパイスオーブン焼き

食物繊維　歯ごたえのあるもの

材料（2人ぶん）

鶏手羽先……………………6本（300g）
れんこん……………………………100g
さつまいも…………………………100g
A
- 塩…………………………小さじ1
- こしょう…………………小さじ1/4
- ハチミツ……………………大さじ1
- カレー粉……………………小さじ2
- オリーブ油…………………大さじ2

ベビーリーフ………………………適宜

つくり方

1. 手羽先は、はさみで骨に沿って切り込みを入れる。Aをすりこんで20分おく。
2. れんこんとさつまいもは1.5㎝の輪切りにして水にさらす。オーブンは200度に温めておく。
3. ①と水気をきった②をざっとまぜ、天板にオーブンシートを敷き、重ならないように並べる。
4. オーブン中段で20 ～ 25分焼く。
5. 器に盛り、ベビーリーフを添える。

コリコリした歯ごたえの砂肝を
さっぱりといただく

砂肝と根菜のしょうゆ漬け

食物繊維　歯ごたえのあるもの

材料(2人ぶん)

砂肝 ……………………………150g
ごぼう……………………1/2本(100g)
　長ねぎ ……………1/2本(50g)
　しょうゆ…………………… 大さじ3
　砂糖…………………………大さじ1
　ごま油………………… 大さじ1
　赤唐辛子(種を取って小口切り)
　…………………………… 1本
サニーレタス……………………適宜

つくり方

1. ごぼうはたわしでよく洗うか包丁の背で皮をこそげ取る。ピーラーで帯状に10cm長さに削り、水に10分さらす。
2. Aの長ねぎは斜め薄切りにする。
3. 砂肝は白いすじをのぞき、半分に切る。
4. たっぷりの熱湯で①と③をそれぞれ2分ずつゆでる。
5. ④をざるにとり、充分に水気をきって熱いうちにAに漬け込む。
6. ⑤と食べやすいサイズにちぎったサニーレタスを器に盛りつける。

この悩みに
Pinpoint

顔色が悪く見える……
ファンデーションが浮く！

くすみ

くすみの原因は1つではない

「顔色がさえないなあ」と思うのは、どんなときでしょうか。くすみは主観的なものなので、人によってどういう状態をそう感じるかは異なります。

では実際、どんなときにくすみが生じるのでしょう。

一つは、古い角質がたまって角質が厚くなっている場合。これは、角質肥厚と呼ばれ、古くなった角質がはがれ落ちず、肌表面に残った状態をさします。ターンオーバーが低下したときなどによく見られます。角質細胞そのものが若干黒みを帯びているので、厚く重なると灰色がかって見えるのです。

二つめは、「乾燥」による場合。肌は乾燥して水分を失うとバリア機能が低下します。そしてそれを補うために、角層が厚くなってくるのです。すると、前述した角質肥厚と同じ状態になり、肌はくすんで見えます。

三つめは、「血行不良」が原因の場合。睡眠不足などで血流が滞ってしまうと、血色が悪くなり、肌がくもって見えることがあります。

そのほか、紫外線による軽い日焼けのようなものや、摩擦による炎症性色素沈着なども、「くすみ」としてとらえられることがあります。

このように、くすみにはいくつもの原因が考えられます。原因によって改善方法が異なるので、まずは自分のくすみがどのタイプにあてはまるのか見極めることが必要です。

✕カン違いスキンケア

- □メイク落としは、日常的に拭き取りタイプを愛用している
- □くすみを解消するために美白化粧品を使っている

くすみのしくみ

くすみの原因となる
角質肥厚

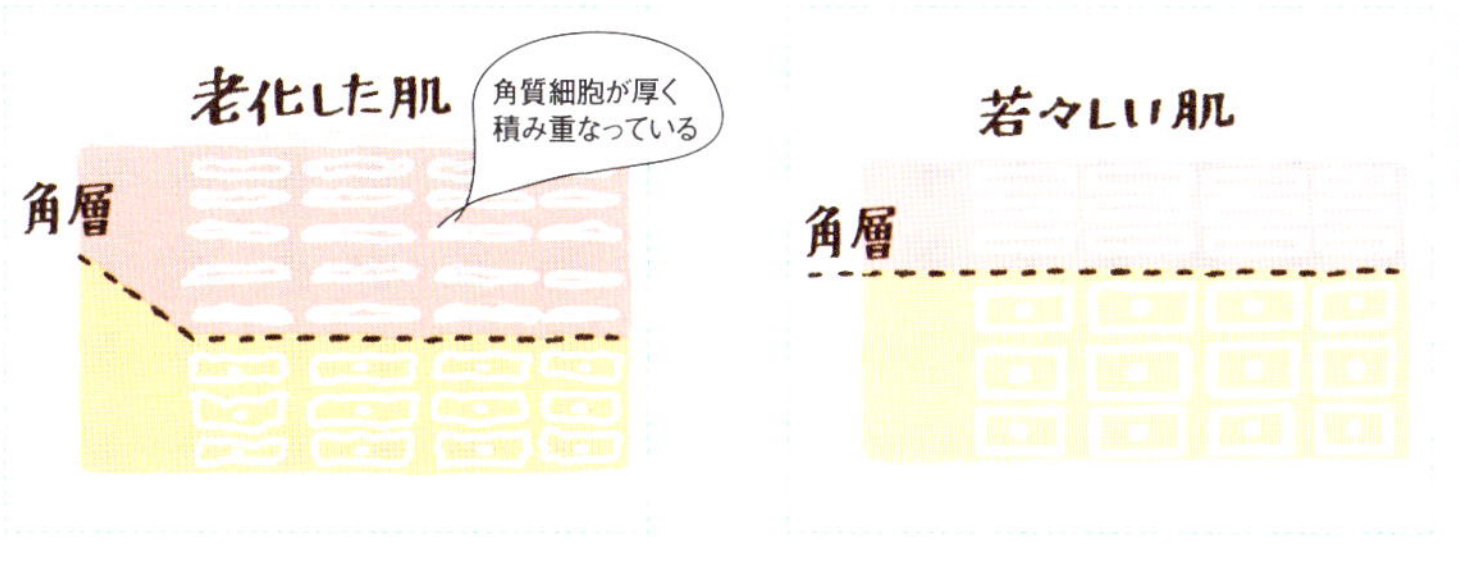

ターンオーバーを高めるピーリングを行う

角質肥厚が原因ならピーリングが効果大

角質肥厚が原因でくすみを起こしている場合、本来は保湿が必要なのですが、角質が厚く硬くなった状態で、美容液などを塗ってもなかなか浸透しません。

そのため、一度、古い角質をピーリングで取り去ると、美容液などの有効成分も浸透しやすくなり、くすみを緩和できます。

ただしピーリングを行ったあと、必ずセラミドなどの保湿成分を配合した美容液などで保湿するのを忘れずに！

肌の乾きによるくすみなら保湿成分を与える

乾燥していると角層はグレーがかる

乾燥した肌の角層は、グレー味が強く出る傾向にあることがわかっています。これは、とくに冬に多いくすみの原因です。

なぜなら、気温が下がると血行が悪くなって、代謝が悪くなったり栄養や酸素が行き渡らなくなったりして、乾燥しがちだからです。

この場合、保湿を行うと緩和されます。セラミドやヒアルロン酸など保湿効果のある成分が配合された美容液などでケアすると、早い段階で肌が明るく見えるようになります。

速効性のあるパックを取り入れる

どうしてもくすみの気になる朝にぴったり

朝、メイクをしようと思ったら、顔色がどんよりしている……なんてことは、だれしも経験したことがあるはず。そんな悩みにおすすめなのがパックです。

パックには、肌を密閉して有効成分を肌内にグッと押しこむ効果があり、速効性が期待できます。

パックにもいろいろな種類がありますが、くすみの原因である乾燥と血行不良を緩和するには保湿、またはアンチエイジングのタイプを選ぶといいでしょう。アンチエイジングのパックなら、元気のない肌に活力を与えて血流を活性化させるうえ、保湿力を兼ね備えているものもあるので一石二鳥です。

シートタイプのパックを使うときは、使用時間の目安を守りましょう。美容液状（または乳液状）のものがたっぷりとシートに含まれているので「全部浸透するまで肌上においておきたい」と思う人も多いようですが、成分は時間内に浸透するよう設計されているので、それ以上行う必要はありません。

パックのように時間をおくケアは、ゆったりと楽しみながら行うことが継続のポイントです。好きな音楽を聴きながら、アロマの香りを楽しみながら、自分が心地よくできる方法を見つけてください。

いつものケアにパックをプラスして
バラ色素肌を手に入れる

血行不良によるくすみにはマッサージが最適

血中の酸素不足はくすみを招く

そもそも肌色というのは、角層の半透明（グレー）のフィルター、メラニン色素のイエローブラウン、血液の赤のバランスによって決まっているものです。たとえば血液に酸素が充分に行き渡っているときは、明るくピンクがかった血色のよい肌色になります。

しかし血行が悪くなると、酸素不足で血液の色が暗くなり、メラニンの黄味や角層のグレー味が強くなって、くすんで見えるのです。

そのため、改善方法としては、血行を促すマッサージがもっとも有効。マッサージクリームなどを塗ったうえで、強くこすったりせずに、やさしく行いましょう。

また、ツボ押しや適度な運動も全身の血行をよくするので効果的です。

たばこは肌によくない

喫煙すると、毛細血管の働きが弱まるといわれています。喫煙している人は、唇を見るとたいていくすんでいるので、すぐにわかるほど。毛細血管の働きが弱まると、肌には酸素や栄養が行き渡らず、血行不良になってくすむのはもちろん、老化を早めかねません。たばこも紫外線と同様、百害あって一利なしですから、喫煙をしないに越したことはありません。

体の内側からくすみを根本解決する 栄養をチャージ

代謝や血行を高める素材がキーポイント

まずターンオーバーの低下が原因のくすみには、代謝を助けるビタミンEのほか、良質なたんぱく質（P89参照）である肉や魚、卵などがおすすめです。乾燥から起こるくすみには、肌のうるおいを保つビタミンAをたっぷり補給しましょう。そして、血行不良が原因のくすみを緩和するには、血行を促すビタミンEや鉄分が有効です。

さまざまな要因が重なって、肌色がくもっていることも多いので、自分のくすみがどれかハッキリしないときは、バランスよく栄養素を補いましょう。

とりたい栄養素とおすすめの食品

（100gあたりの含有量）

ビタミンA

うなぎ（かば焼）	1500μgRAE
モロヘイヤ	840μgRAE
にんじん	720μgRAE
春菊	380μgRAE
ほうれんそう	350μgRAE
西洋かぼちゃ	330μgRAE
ルッコラ（ロケットサラダ）	300μgRAE
にら	290μgRAE
チンゲン菜	170μgRAE
ブロッコリー	67μgRAE

※野菜の中にはβカロテンの形で含まれ、体内でビタミンAに変換されます。

鉄

レンズ豆（乾）	9.0mg
鶏レバー	9.0mg
しじみ	8.3mg
高野豆腐	7.5mg
あさり	3.8mg
納豆	3.3mg
ほうれんそう	2.0mg
かつお	1.9mg
ツナ缶	1.8mg
赤身まぐろ	1.1mg

ビタミンE

アーモンド（フライ）	29.4mg
ツナ缶	8.3mg
たらこ	7.1mg
モロヘイヤ	6.5mg
西洋かぼちゃ	4.9mg
うなぎ（かば焼）	4.9mg
赤パプリカ	4.3mg
アボカド	3.3mg
ほうれんそう	2.1mg
するめいか	2.1mg

くすみを制す
究極レシピ

血行を促す栄養をバランスよく含み
ほんのりピンクの肌色を期待させる

まぐろのステーキ
アボカドタルタルソース

鉄　ビタミンE

材料(2人ぶん)

赤身まぐろ……………………250g
アボカド………………1/2個(90g)
オリーブ油…………………大さじ1
　たまねぎのみじん切り…大さじ2
　オリーブ油……………大さじ1
塩・黒こしょう…………………各少々
レモン………………くし切り1/8個

つくり方

1. 直径24～26㎝のフライパンに大さじ1のオリーブ油を熱し、まぐろの表面を中火で30秒ずつ焼く。表面に焼き色がついたら、まな板にとる。
2. アボカドは皮からスプーンですくい取り、粗くつぶしたあとAとよくまぜる。
3. まぐろを斜め1㎝厚さに切り、②のソースをかける。塩・黒こしょう、レモンのしぼり汁をソースにからめていただく。

くすみの原因となる
乾燥やターンオーバーの低下を緩和

かぼちゃとツナのサラダ

鉄　ビタミンA　ビタミンE

材料(2人ぶん)

- かぼちゃ……………………250g
- ツナフレーク缶………………小1缶
  - マヨネーズ……………大さじ2
  - 練り辛子……………小さじ1/2

つくり方

1. かぼちゃは1.5cm角に切る。直径20 ～ 25cmの耐熱皿の周囲に広げ、全体に水大さじ2をふる。ラップをふんわりして600Wの電子レンジに5分かけ、上下を返して粗熱をとる。
2. ツナは軽く汁をきる。
3. かぼちゃの水気をきり、②とAの調味料を順に加えてまぜる。つぶれてもOK。

今あなたに、本当に必要なケアは何？　見極めるための再チェック

真の肌タイプ診断

「乾燥肌」「オイリー肌」「混合肌」などいろいろな肌タイプがあるといわれますが実際は、自分がどのカテゴリーに入っているのか知らない人が多いようです。真の肌タイプを見極め、適切なケアをしていきましょう。

肌タイプの診断方法

朝目覚めたら、洗顔をする前にUゾーンの肌に触れてみましょう。次のどれにあてはまりますか？

A ベタッと全体に皮脂が浮いて乾いた感じはまったくない

オイリー肌

B ベタつくところが多いけれどところどころカサつく

オイリードライ肌

C ベタつきもカサつきもほとんどない

ノーマル肌

D 全体にカサカサしてつっぱる

ドライ、つまり乾燥肌

じつはほとんどの人が混合肌

Tゾーンとリゾーンの肌質が違うことを「混合肌」と呼ぶようですが、じつは混合肌という肌タイプはありません。一般的にTゾーンはベタつき、Uゾーンはカサつく傾向にあります。「全体がオイリー肌」など一部の人をのぞけば、じつはほとんどの人が混合肌なのです。

スキンケアのポイント

混合肌の場合お手入れで迷ったらUゾーンに合わせましょう。なぜならUゾーンの肌は弱く乾燥しやすいので、洗い方や保湿は慎重にすべきだからです。またUゾーンの皮膚は、個人差が激しいので、合うスキンケアもそれぞれ。まずはUゾーンの肌質を基準にして化粧品を選びます。

一方Tゾーンは皮膚が丈夫なので、どうしてもテカりが気になるなら、洗顔後は何もつけずに放っておいても大丈夫。つけすぎはニキビのもとになるおそれも。

ちなみに額の皮膚は、医学的には頭皮の一部。つまり頭皮同様、洗いっぱなしでよいくらいなのです。

どんなケアが必要？

A オイリー肌

洗顔で皮脂をスッキリ落とし、オイルカットの保湿美容液などを使いましょう。

日中はあぶら取り紙で皮脂を押さえ、浮き出た皮脂をしっかり取ります。ティッシュを使うと、繊維が肌に残って刺激になることがあるのでNG。また、皮脂の取りすぎを気にする人もいますが、あぶら取り紙では「取りすぎ」になるほど取れません。

テカりや化粧くずれを防ぐには、ルースパウダーをファンデーションの上から重ねるのがおすすめです。メイクの落ちてきた部分を中心に、パフで軽くのせましょう。

またストレスや寝不足で皮脂が増えることもあるので、生活面にも注意を。

B オイリードライ肌

皮脂ばかり多くて水分が少ないオイリードライの場合、よけいに目立ってテカテカします。そこで大切なのは、肌の水分を増やす保湿ケア。水分量が増えれば、皮脂だけが浮いて目立つのを緩和できます。

C ノーマル肌

今の肌をキープするために、水分を増やす保湿ケアを怠らないようにしましょう。

D 乾燥肌

油分を与えるより、水分を増やす保湿ケアを徹底しましょう（くわしくはP110～参照）。

肌タイプは大きく4つに分けられる

水分の多い少ない、皮脂の多い少ないによって、左のように4つに分けられます。

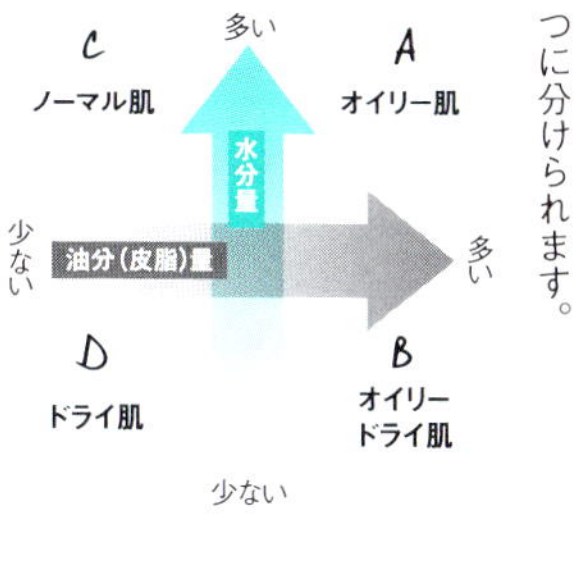

ちょっとした悩みから
手強い肌トラブルまで

＋SOS肌のレスキューテクニック

Q

空気が乾燥しているせいか
最近どうも**肌がゴワゴワ**
してきました。
化粧品もあまり
浸透していない感じが
しますがどうしたらいいですか？

A

ピーリング＋保湿で対応を！

肌がゴワゴワしているというのは、乾燥して角層が厚くなっている状態です。

角層は、外の刺激から肌を守る役割を果たしています。そのため、乾燥して角層のバリア機能が損なわれると、よりいっそう肌を守ろうとして厚くなってしまうのです。そのしくみは、肌内部で急いで角層をつくろうとするあまり、未熟な角質細胞ができてしまうことから。この未熟な角質細胞がどんどん積み重なって、できそこないの角層ばかりが厚くなっていくと、ゴワゴワした感触になるのです。

保湿をするのが解決策なのですが、まずは角層の状態をリセットするため、厚すぎる角層をピーリングで取り去るのも有効です。

ただし、赤みやかゆみ、ヒリヒリ感などをともなう場合はやめておきましょう。

季節を問わず頬が赤い いわゆる「赤ら顔」で悩んでいます。メイクで赤みを消してきたけれど根本解決する方法はありませんか？

A

赤ら顔のタイプによっては、スキンケアで緩和

肌の赤みには、いろいろな原因があります。まずは、色白肌に多い、生まれつきの赤ら顔タイプです。熟した桃のようにほんのりと赤いのが特徴で、これはスキンケアで緩和するのは難しいもの。でも、年齢とともに自然に赤みが薄くなってくることはあります。

次に、「脂漏性皮膚炎《しろうせいひふえん》」による赤ら顔。オイリー肌で毛穴も大きめの人によくみられます。ビタミンC配合の化粧水を使ったり、ビタミンCをイオン導入したりすることで改善はできますが、体質的なものなので、完治は難しいようです。

また、ニキビ跡の赤みが残って赤ら顔に見えるタイプもあります。これは放置していても3～5年で消えていく可能性もありますが、気になる場合は脂漏性皮膚炎と同じケアが有効です。

たたいたり、こすったりという刺激によって毛細血管が開き、赤ら顔になってしまうタイプもあります。これはレーザー治療でないと改善は難しいようです。

いずれのタイプも、急な温度変化などの刺激を加えないことが大切です。

小鼻まわりの赤みが気になります…

A

脂漏性皮膚炎の可能性が考えられます

小鼻まわりの赤みを気にする人もいますが、これも脂漏性皮膚炎の一種。鼻まわりは皮脂が多いため、だれにでも見られるもので病気ではありません。気になる人はビタミンC配合の化粧水を使ったり、ビタミンCをイオン導入したりすると緩和されていきます。あぶら取り紙でこまめに皮脂を取るのも大切です。

Q

化粧品などがかぶれやすく敏感肌だと思うのですがどのようなケアをしたらよいですか？

A

みずから敏感肌をつくっている場合も

「自分は生まれつき敏感肌だから…」と思っている人も多いようですが、じつは敏感肌には2タイプあります。間違ったスキンケアによってみずから敏感肌を招いているタイプと、生まれつきの肌質によるタイプです。そして、前者に該当する人が思いのほか多いのです。

間違ったスキンケアは、肌をあらしたり乾燥させたりする原因になります。すると、角層のバリア機能が壊れて外からの刺激を受けやすくなり、肌が敏感に傾いてしまいます。こういう場合はスキンケアを直せば敏感ではなくなるので、真の敏感肌とはいえません。

間違ったスキンケアとは、クレンジングのやりすぎや肌に負担となる日焼け止め化粧品を塗ること、合わない化粧品を使うことなどをさします。また寝不足など不規則な生活は、肌の抵抗力を低下させ、デリケートな肌状態をつくり出すので注意しましょう。

このようなタイプに該当せず、スキンケアも生活面もきちんとできていても敏感な場合は、真の敏感肌だといえます。

真の敏感肌は、もともと肌が薄い、乾燥しやすい、外からの刺激に過剰に反応しやすいなどの特徴があります。そして、普通の人が刺激と感じない程度の微妙な刺激に反応します。たとえば、髪が触れるだけでかゆいとか、化粧水に含まれるわずかなアルコールでかぶれて赤くなる、などです。

このような場合、まずは低刺激の化粧品を使います。スキンケアアイテムもシンプルにして、何品もつけるのは避けます。

生理前や寝不足のときなど、一時的に敏感になる人もいます。その場合は、クレンジングは使わず石けん洗顔のみにし、洗顔後は保湿美容液だけをつけます。メイクは軽めのルースパウダー（P75参照）やパウダーファンデーションなどを使いましょう。

生活環境が変わったせいか一年ほど前から急にアトピー性皮膚炎になりました。かゆみがひどいのですが何か対策はありますか？

A 薬でコントロールしながら、できる限り生活改善を

最近、大人になってからアトピー性皮膚炎を発症する人が増えています。顔に症状が出やすいのが特徴（P117参照）で「成人型アトピー性皮膚炎」と呼ばれています。

とくに成人型の場合、残業が続いたら急に症状が出るなど、睡眠不足やストレスとも密接な関係があると考えられています。まずは早寝早起きを心がけるなど、規則正しい生活を送るのが大切です。

皮膚科では、かゆみ止めの飲み薬とステロイドの塗り薬を中心とした治療をします。かゆみに対して確実に効くのはステロイドですが、長期間大量に使うと、皮膚が薄くなるなどの副作用があります。

ただし、まったく使わないと、かきむしってよけいに悪化することも。皮膚科医の指導のもと、適量の薬で抑制することが重要です。

また、漢方薬が有効な場合もあるので、漢方を扱っている病院に相談してみるのもいいでしょう。

アトピー性皮膚炎に使われる漢方

アトピー性皮膚炎は、遺伝的体質が関係しています。そのため一度治ったと思っても、不健康な生活が続くと再発してしまうこともあります。漢方では、かゆみなどの表面的な症状を緩和する処方と、根本的に体質改善を行う処方の二本立てで治療します。

表面的な症状をとる代表的な漢方は、患部がジュクジュクしている場合は「越婢加朮湯《えっぴかじゅつとう》」「消風《しょうふう》散《さん》」などの石膏を含むものを。顔と首の赤みや熱感が強いタイプには、「白虎加人参湯《びゃっこかにんじんとう》」「黄連解毒《おうれんげどく》湯《とう》」などを使います。熱感があまりなくてカサカサしている場合は「四《し》物湯《もつとう》」などの血を補うものを用います。

一方の体質改善には、ストレスが強い人には“気”のめぐりをよくする処方、血行が悪い人には、それを改善するものというふうに処方を選択します。

成人型アトピー性皮膚炎は、とてもデリケートな治療になるので、信頼できる漢方医と皮膚科医を探し、漢方と西洋医学を併用しながら根気よく続けることが必要です。

最新美容医療ナビ

セルフケアで肌悩みが解決しないのなら、医師の管理下で行う「美容医療」を受けてみるのもひとつの選択。ここで代表的なものを紹介します。受けられる治療や費用などは医療機関によってさまざまなので、充分に説明を受けたうえで、じっくり検討してください。

光をあてて
シミやアザを除去

レーザー

Laser

特殊な装置で発生させた光を患部に照射する治療です。皮膚の正常な部分には傷をつけず、目的の部分だけを焼いて除去。シミ、アザ、ほくろなどに有効です。

照射する瞬間にゴムをパチンとはじいた程度の痛みがありますが、一瞬で終わります。

ただし、アザやほくろなどの深いものを治療する場合は、痛みがやや強いこともあり、麻酔を使うことも。

費　用

シミのタイプ、大きさ、使用する機器にもよりますが、シミ1か所につき5000円～が目安です。

治療期間

1回ですむものから、5回以上くり返し行うものまでさまざまです。

広い波長の光で
複数の肌トラブルを解決

フォトフェイシャル、その他の治療

Photo facial

気になるところだけスポット的に治すレーザー治療と比べ、顔全体にソフトな光線をあてるのがフォトフェイシャルの特徴。シミ、シワ、赤ら顔など、複数の肌トラブルに作用します。ただし、シミへの効果は、レーザー治療に比べると若干劣ります。レーザー治療同様、照射した瞬間は、輪ゴムで軽くはじかれるような感覚があります。

最近では、このようなタイプの光治療機がいろいろ開発されています。

費　用

医療機関によって異なりますが、1クール（5～6回）で10万～30万円が目安です。

治療期間

3～4週間おきに5～6回照射。術後シミの部分だけが、かさぶたになる場合もありますが、腫れたりすることなく、メイクして外出可能です。

法令線対策の
スタンダード

ヒアルロン酸／コラーゲン注入

Hyaluronic acid / Collagen injection

シワの部分にそって、ヒアルロン酸やコラーゲンを注入し、肌をふっくらさせて目立たなくする方法。とくに皮膚の深い層に原因がある法令線などに向いています。注入したものは、いずれ吸収されてなくなります。

コラーゲンは、たんぱく質の一種ですから、ごくまれにアレルギーが出ることもあります。一方、糖の一種であるヒアルロン酸は、アレルギーの心配はありません。

費　用

左右の法令線に注入した場合、コラーゲンで5万円程度、ヒアルロン酸で7万円～が目安です。

治療期間

注入にかかる時間は15分程度です。術後に腫れることはほとんどなく、即日メイク可能。一度注入すると半年ほど効果が持続します。

厚くなった角質をはがし
新しい皮膚を再生

ケミカルピーリング

Chemical peeling

一種の酸を塗ることによって、皮膚の角質をはがし、新しい皮膚の再生を促す治療です。コラーゲンが増えるので、シワやたるみ、たるみ毛穴などに有効。余分な角質を取るため、毛穴の詰まりやニキビ予防にも効果的です。

皮膚科では市販品より強力な酸を用いるので、多少のピリピリ感をともないますが、効果も実感しやすいのが特徴。肌の状態を見ながら、酸の種類や濃度などを調節します。

費　用

1回5000円～2万円程度までとかなり幅がありますが、1万円前後が一般的です。

治療期間

多少赤くなることがありますが、即日メイクして外出可能。腫れることはありません。きちんとした効果を出すには、2～4週に1回、計5回以上受ける必要があります。

注射が適さない
目の下の小ジワに有効

レチノイン酸

Retinoic acid

ビタミンAの一種であるレチノイン酸は、市販の化粧品に配合されているレチノールと同じ系統の成分ですが、医薬品なのでより強力な作用をもちます。注射が適さない目の下の小ジワ、黒ぐま、くすみなどに使用します。

ターンオーバーを高める働きがあるので、使用を続けるとコラーゲンの生成やメラニンの排せつが活発になり、シミとシワが緩和されます。

費　用

医療機関によって開きがありますが、1か月ぶんで、2000～5000円が目安です。

治療期間

小ジワなら1～2日に1回の使用を1～2か月続けます。

眉間や目尻のシワに
威力を発揮！

ボツリヌス注射（ボトックス）

Botulinum toxin

ボツリヌス菌という細菌が産生する物質を注入し、シワのもとになる表情筋の働きを弱める方法。筋肉の動きによってできる額、眉間、目尻のシワなどに効果的です。

腫れや痛みも少なく、とても効果的な治療法ですが、注入量が多すぎると表情筋の動きを抑制しすぎて、無表情になることがあります。1回の治療でシワを完全に消そうとせず、2回に分けて注入するとよいでしょう。

費　用

医療機関によってまちまちですが、1回5万円が目安です。

治療期間

1回目の注入から7～10日後ぐらいにシワの状態を見て、必要ならば2回目の注入を行います。効果の持続期間は4～6か月程度。

美容医療はどこで受けられるの？

美容皮膚科、美容外科などで受けられます。ただし、どの医療機関で、どの治療が受けられるかは異なるので、事前の確認が必要です。

美容皮膚科というのは、皮膚科に「美容」という意識が加えられているものと考えてください。

美容外科ではメスを使うのに対し、美容皮膚科では、基本的にメスを使わない範囲で治療をしていきます。

では、エステサロンとは何が違うのでしょうか。美容皮膚科ではヒアルロン酸などの注射、レーザー、ケミカルピーリングなどの治療を行えますが、エステサロンは医療機関ではないため、これを行うことはできません。

高濃度のビタミンCを
肌にしみこませる

イオン導入

Ion to phoresis

ビタミンC誘導体を顔に塗り、電極をあててイオン導入し、真皮に浸透させる方法。単純に肌につけるだけより、何十倍も浸透がよくなります。「針を使わない注射」といわれ、注射器を使わずに体内に有効成分を入れられるのがメリット。シミ、毛穴、シワ、たるみなど、あらゆる肌悩みに効果的です。

ピーリングなどで古い角質を取り除いたあとに行うと、さらに吸収率が高まります。

費　用

医療機関によって多少の幅がありますが、1回3000円～1万円程度です。

治療期間

1回でもある程度の効果は期待できますが、1～2週に1回のペースで続けると、より確実に実感を得られます。

Pinpoint

ピンポイントメンテナンス

Part 2

ボディの肌悩み解決完全テクニック

正しいスキンケアは パーツ別で異なる

背中のニキビをどうにかしたい、手足の肌あれや乾燥が気になる、リップをまめに塗っても唇がすぐひび割れてしまう……など、肌の悩みは顔だけでなく、ボディ全体に及ぶもの。ボディの肌悩みも、皮膚科学基準の正しいスキンケアが解決への近道です。

　この章では、ボディの肌悩み別アプローチ方法をご紹介していきます。

　ボディの場合は、背中、手、足、唇など、パーツによって肌の性質が異なるのが特徴。それぞれの肌状態に合わせた適切なスキンケアがポイントになります。

　ここで正しいボディのお手入れ法をマスターして、全身ツルツルすべすべのトータルビューティをめざしましょう。

背中・胸のニキビ完全テクニック

固形石けん＋綿タオルで肌を清潔に保つ

皮膚科医

背中や胸は、体の中でも顔の次に皮脂腺がたくさんある部位です。そのため皮脂の分泌が多く、ニキビができやすいのです。

予防のためには、皮脂や汗をしっかり落とし清潔にすることが大切です。

背中や胸のニキビで悩んでいる人にありがちなのが、お風呂のたびにナイロンタオルでゴシゴシこすること。これでは治るどころか、悪化する一方です。

できてしまったニキビをこすっても、よくなることはもちろんありません。続けているとシミになるおそれすらあります。

体を洗うときは、ナイロンタオルやボディブラシは避け、普通の綿タオルを使うのがベスト。こすりすぎず、やさしく洗うことがポイントです。

洗浄剤としておすすめなのは固形石けんで

す。ボディソープは界面活性剤が多いため、肌に刺激を与えます。またボディソープの多くは洗い上がりにしっとり感を残すために油分が配合されています。これが肌に残って油膜をはり、ニキビの原因になることも。

また体を洗ったあとにシャンプーなどをすると、背中や胸にその成分が残り、それが肌への刺激になります。先に髪を洗ってから、体を洗うようにしましょう。

肌への刺激が少ない綿素材のインナーを選ぶ

背中や胸のニキビは、汗と衣類の刺激で悪化する傾向にあります。夏は朝晩シャワーを浴びて、汗をかいたらこまめに拭き取るようにしましょう。これを心がけるだけで、ニキビが緩和されることもあります。

また、衣類にも気を配りたいもの。とくに背中や胸のあたりに直接触れる衣類は、綿素材のように吸湿性がよく、肌触りのよいものがベストです。チクチクする素材を着ただけで肌への刺激が強くなり、ニキビが増えてしまうこともあるからです。

ボディのニキビに使われる漢方薬

顔のニキビと同様、ボディのニキビを根本的に治すには、漢方薬の飲み薬がおすすめです。ただし同じニキビとはいえ、顔とボディでは症状が異なるので、処方も違ってきます。タイプ別におすすめの漢方薬をご紹介しましょう。

まず背中や胸全体にあせものように小さいニキビが散らばっているタイプには、「柴胡《さいこ》清肝湯《せいかんとう》」という処方がよく効きます。ニキビの炎症を鎮めたり、免疫を高めたりして、ニキビのできにくい肌質に改善します。

化膿したり痛みをともなったりするようなニキビが背中の真ん中にできる人には、「十味《じゅうみ》敗毒湯《はいどくとう》」がおすすめ。この処方は、とくにアレルギー体質の人や、虫さされの跡がなかなか消えない肌質の人に合うようです。

ボディのカサカサ

完全テクニック

カサつく部分には尿素配合クリームが◎

肌にもともと存在するセラミドなどの保湿物質は、水に触れるだけでも流れ落ちて失われてしまいます。お風呂上がりにカサカサするのは、それが原因なのです。

カサカサを防ぐには、顔と同様、ボディにも保湿ケアが必要です。ボディは部位によって皮脂の分泌量が違うので、保湿ケアも部位ごとに変えるのがベスト。

皮脂の多い背中や胸は、基本的には何もつけなくてＯＫです。カサつきを感じたときは、油分が少なめで保湿成分の入ったボディ用のローションなどを薄くのばしましょう。

手足は皮脂腺が少ないので、油分を適度に含む保湿クリームをていねいに塗ります。ひじやひざなど、カサつきが気になる部位には、[※1]尿素配合クリームを使うとよいでしょう。

ボディローションを選ぶとき「赤ちゃん用なら肌にやさしいはず」と思っている人も多いようです。しかし、じつは赤ちゃん用には殺菌成分などが多く含まれることがあるので要注意。また天然の植物成分を使ったものなどもありますが、肌の弱い人にはかえって刺激になるおそれも。

肌に合うものが見つからないときは、アトピー用のスキンケアラインから選ぶと安心です。

手あれ完全テクニック

手をぬらしたらクリームを塗る習慣を

手あれは、仕事で頻繁に手を洗う人や家庭で水仕事をする人に多い肌トラブル。でも、どんなに手があれていても手を使わずに生活はできません。そのため一度手あれが起こると、角層のバリア機能が壊れ、悪循環をくり返して治りにくくなります。

すでに手あれがおきている場合は、手洗いを最小限にとどめます。熱めのお湯は乾燥を招くので、ぬるま湯を使いましょう。洗ったあとは水気をきちんと拭き取り、ハンドクリームを塗るのを習慣に。ハンドクリームはボディと同様、尿素配合がおすすめです。

かかとの角質完全テクニック

取ったあとの保湿ケアが肝心

かかとのガサガサやひび割れの正体は、厚くなった角質。かかとには皮脂腺が少なく刺激も多いため、角質肥厚が起こりやすいのです。解決策は古い角質を取ることですが、それだけでは、またすぐ新たな角質がたまるので、取ったあとの保湿ケアが重要です。

角質ケアのコツは、入浴や足湯で肌表面をやわらかくして行うこと。余分な角質だけがはがれ落ちやすくなります。週1回を目安にして角質を取ったあとは、尿素クリームなどで保湿しましょう。

※1　尿素／体内でつくられる天然保湿因子の主要成分のひとつ。水となじみがよく、水分をしっかりつかまえて保湿する働きがある。ただし、乾いた空気の中では、保湿力は下がる。また角質をやわらかくして、角質肥厚を予防する働きもある。

唇のあれ

完全テクニック

ハチミツとワセリンのパックが効果的

ガサガサしてひび割れていたり、皮がめくれていたり……。そんな唇では、口紅もきれいに映えず憂うつになりますよね。

そもそもなぜ唇が乾燥しやすいかというと、唇は粘膜と皮膚の境界線で、肌のように皮脂分泌ができないから。また唇の角層は極めて薄いのです。唇があれているときは、皮をむしるのは厳禁。舌でなめるクセも、よけい乾燥して悪循環になるのでやめましょう。

おすすめケアは、保湿効果にすぐれたワセ※1リン＋粘膜のあれに有効なハチミツのパック。ふっくらツヤやかな唇をめざしましょう。

ステップ 2

真ん中に空気穴をあけたラップで覆って、3分ほどおいたのちはがす。

ステップ 1

ワセリンとハチミツを1：1でまぜたものを唇に塗る。

頭皮のフケ・かゆみ 完全テクニック

乾燥を避け 椿油などで保湿

きちんとシャンプーしているのに、フケが出る、頭皮がかゆくなるという人は、「脂漏《しろう》性皮膚炎《せいひふえん》」の可能性大。脂漏性皮膚炎は、顔だけでなく、頭皮にも起こるのです。

対策としては、適度にシャンプーをして、清潔に保つことが大切。敏感肌用のシャンプーを使い、爪を立てず指の腹でやさしく洗いましょう。ドライヤーの風は乾燥を招くので、地肌に強くあてないようにします。

乾燥が激しい場合は、椿油《つばきあぶら》などで保湿するのもよいでしょう。なかなか改善されない場合は、皮膚科受診を。

水虫 完全テクニック

薬をきちんと塗り続けることが大事

水虫の原因は、白癬菌《はくせんきん》というカビの一種です。不特定多数の人が裸足で歩くプールや温泉などでの感染例がよく見られます。こういう場所に行ったあとは寝る前に足を洗っておきましょう。

もし水虫になってしまったら、市販の薬でもよいので、両足の裏と足指のあいだにしっかりと塗ります。一見治ったように見えても、皮膚の中で菌が生きていることもあるので半年間は続けて。綿のフットカバーや5本指靴下などを穿いて靴を履き、足を長時間蒸らさないようにすることも大切です。

※1 ワセリン／石油からとれる炭化水素類の混合物を精製した物質。皮膚に刺激の少ない保護剤で手あれやあかぎれなどの症状に使われる。

むだ毛
完全テクニック

「抜く」は皮膚の一部をちぎることに

肌の露出が増える季節になると気になる、わきや手脚などの「むだ毛」。のばしたままにはなかなかできないのでやむを得ないのですが、むだ毛処理はどうしても肌に負担をかけてしまうと心得てから行いましょう。

とくにカミソリなどで「剃る」よりも、毛抜きなどで「抜く」ほうが、肌へのダメージは大きくなります。というのも、抜くという方法では、皮膚の一部をちぎることになるからです。

毛は、毛根にある毛母細胞《もうぼさいぼう》の分裂によって成長します。毛母細胞は、まわりにある血管から酸素や栄養をもらって細胞分裂をくり返します。つまり、毛根自体は生きているのです。毛を抜くと、この生きた組織を引き裂くことになるので、当然痛みをともないます。目には見えませんが、毛穴の奥で多少の出血もしています。これをくり返していると、毛穴が炎症を起こして膿んだり、その炎症の跡がシミになったりと、さまざまな肌トラブルが起きてしまいます。

まずは次ページを参考に、各除毛方法の長所、短所を理解したうえで、無理のない方法を選んでください。またP228～紹介する除毛のルールを守って行えば、肌ダメージを最小限に抑えることができます。

体毛のしくみ

毛を抜くことは、生きている組織を傷つけ破壊してしまうことに。

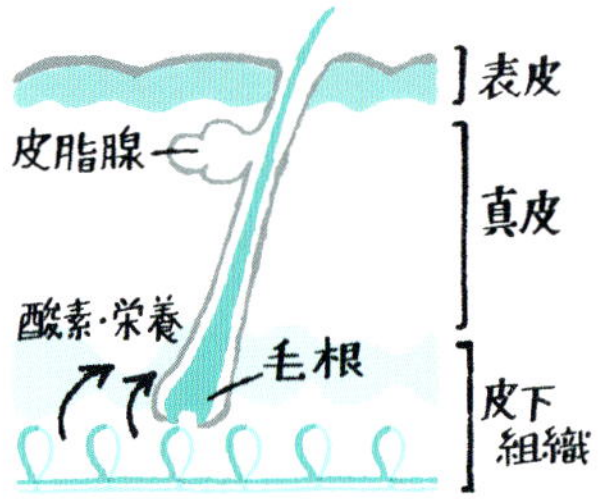

除毛の方法

剃る

電気カミソリ

穴の中に毛を引き込みながらカットしていくので、深剃りができる。ただし、そのぶん、皮膚までいっしょに切ってしまうことも。その傷口からかゆみが出たり、シミになったりすることもある。

安全カミソリ

T字型の安全カミソリは、自分で細かい手加減がしやすいのが特徴。毛穴が鳥肌のようにボツボツと立っている人は、深剃りの電気カミソリだと肌を傷つけやすいので、こちらのほうが向いている。ただし、剃ったあとに肌が乾燥して、かゆくなることもある。

抜く

毛抜き

毛抜きを使って1本ずつ毛を抜く方法。手間がかかるうえに、トラブルが起きやすい。わきをずっと毛抜きで抜いていると、皮膚が硬くなり、つれたようになることもある。また、皮膚の下に埋もれた「埋没毛」ができ、そこから※1毛嚢炎《もうのうえん》を起こすことがある。

テープ

除毛したい部分に粘着力のある専用のテープを貼って、はがし取る方法。一度にたくさん抜ける手軽さはあるが、そのぶんダメージも大きい。また、ワックスと違って、角質もいっしょにはがしてしまうことも多い。肌の弱い人は極力控えたい。

ワックス

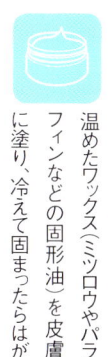

温めたワックス（ミツロウやパラフィンなどの固形油）を皮膚に塗り、冷えて固まったらはがす。皮膚が温められるため、毛抜きやテープなどより若干負担は少ない。またパラフィンパックと同じ原理で、除毛後に肌がしっとりする保湿効果も。

家庭用脱毛機

電気式の脱毛機で、皮膚を温めたり、まわりの皮膚を押さえたりしながら抜くので、毛抜きよりは肌への負担は少ない。しかし、抜くことに変わりはなくトラブルも多い。「永久脱毛できる」などとうたった家庭用脱毛機があるが、抜いている限りまた毛は生えてくる。「レーザー照射で永久脱毛」という商品も出回っているが、レーザーは医療機関でしか扱えないので、家庭用として販売されることはない。

※1 毛嚢炎／毛穴が膿んだり炎症を起こしたりしたもの。顔にできるニキビとほぼ同じ状態だが、体にできるとこう呼ぶ。

どんな方法で行うときも共通！

肌にやさしい除毛のルール

どれだけ気を遣っても肌ダメージが避けられない除毛ですが、以下のルールを守れば確実にダメージを減らせます。これはどんな器具を使うときも共通です。また除毛を行うタイミングは体が温まっているお風呂上がりがベストです。

ルール

1 皮膚を清潔にしてから行う

まずは除毛する部位の皮膚を清潔にするのが基本。除毛をすると、どうしても皮膚に傷がついてしまいます。皮膚を清潔にしておかないと、傷から雑菌が入ってしまうおそれが。石けんでていねいに洗っておきましょう。

たしかな技術の永久脱毛を受ければ一生お手入れいらず

永久脱毛とは、その名のとおり、その部位のむだ毛が永久に生えてこないようにすること。自己処理で肌トラブルを起こしている人は、永久脱毛を検討するのも一法です。

永久脱毛は、大きく分けてレーザー式と電気式の2種類あります。

レーザー脱毛は、レーザー光で毛と毛母細胞を焼いて脱毛する方法。痛みが少なく、脱毛前に毛をのばさなくてすむのがメリットです。ただし、レーザーは黒い部分（メラニン）に反応するため、日焼け後の肌や色の黒い人は、やけどを起こしやすいので避けましょう。日焼けしていなくても日本人の肌は多少のメラニンを含むので、強く反応するとやけどにな

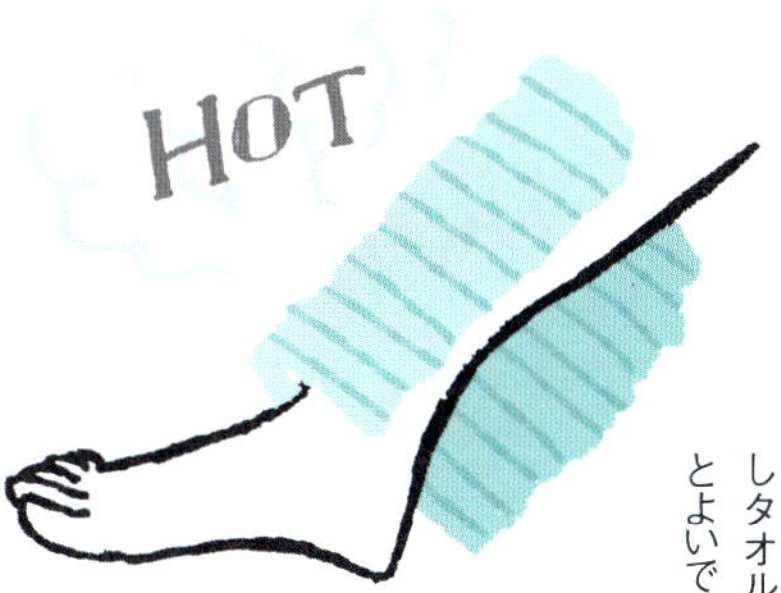

ルール
2

皮膚を温める

皮膚も毛も、温度が下がると硬くなって処理しにくくなります。除毛する部位の皮膚を温めておくのも大切です。お風呂上がりに温まっているタイミングか、蒸しタオルをあててから行うとよいでしょう。

ルール
3

処理後はクールダウン

除毛した部位に水で冷やしたタオルなどをあてて、しばらくおきます。これは除毛による炎症を抑えるためです。

ルール
4

体調が悪いときは控える

風邪ぎみや生理前、寝不足など、体調が悪いときは皮膚の免疫力が落ちています。こうしたときに除毛すると、トラブルを起こしやすく傷の治りも悪くなります。体調がすぐれないときは控えましょう。

ることも。このような事情から、レーザーは必ずしも永久脱毛になるとはいえないのが現状です。

もちろん肌に合えば良好な結果が得られ、何年にもわたってほとんど毛が生えないという症例もあります。

一方、電気脱毛は、毛穴に1本1本針を挿入し、毛根を電流で破壊して脱毛する方法。痛みが若干あり時間がかかることや、毛をある程度のばさないとできないのが欠点ですが、完全に永久脱毛でき、また肌質を選ばないのが特長です。

永久脱毛は医療機関で受けられますが、熟練していない施術者が行うことによる肌トラブルも発生しています。またエステで行う光脱毛は安価ですが、厳密にいうとレーザーではないため、やけどのリスクは高くなります。値段と効果や安全性のバランスを考えて、賢く脱毛を受けましょう。

恥ずかしくて人には聞けない

肌の悩みQ&A

「だれかに相談したいけれど、恥ずかしくてできない……」。そんな肌の悩みにお答えするコーナーです。密かに抱えていたトラブルの解決策が、きっと見えてくるはず。

Q もうずいぶん前から、お尻にブツブツと湿疹のようなものができて治りません。どうしたらいいでしょうか？

A 漢方薬で体質を改善しながら衣類にも気を配りましょう

お尻のブツブツで悩んでいる患者さんは意外に多くて、大部分はニキビのようなものです。下着で蒸れたり、座るたびにこすれたりするので、毛穴の中の雑菌が繁殖して炎症を起こしているのです。免疫が弱いなど体質的なことが関係するようです。

お尻のニキビには、漢方治療が有効なことが多いようです。代表的な処方は、「十味敗毒《じゅうみはいどく》湯《とう》」という体質改善剤です。

また生理前に悪化しやすい人もいるようです。貧血ぎみでむくみっぽいタイプなら「当帰《とうき》芍薬散《しゃくやくさん》」、イライラ感が強いタイプには「加味《かみ》逍遥散《しょうようさん》」、冷えやのぼせがある、生理前に下腹がぽっこりするタイプの人には「桂枝茯苓丸《けいしぶくりょうがん》」をよく処方します。

またジーンズやナイロンのパンツなど蒸れやすい衣類や、ガードルのように擦れやすい下着は、悪化の原因になるので控えましょう。

Q 軽く動くだけでも汗をかくほど、かなり汗っかき体質です。ワキガじゃないか不安です……

A 汗かきとワキガはまったく別物です

単に汗かきの「多汗症」と、においのある「ワキガ」はまったく違います。自分がどちらかわからない場合は、まず左の3つにあてはまるものがあるかチェックしてみましょう。

①両親のどちらかがワキガ体質
②耳垢がしっとりしている
③白いシャツなどのわきの部分が黄色くなる

3つともあてはまる人は、ワキガ体質の可能性が。

また「多汗症」と「ワキガ」では、汗の種類が異なります。汗を分泌する汗腺には2種類あることをまず知りましょう。

一つは全身に分布していている「エクリン汗腺」。サラサラで透明の汗を分泌します。この量の多い人が、いわゆる多汗症です。もう一つが「アポクリン汗腺」。全身の中で、わきの下、耳、陰部、乳輪、おへそだけにある汗腺です。黄色く粘り気のある汗を分泌します。このアポクリン汗腺が発達している人がワキガ体質です。

ただし、分泌される汗そのものがにおうのではなく、汗に雑菌がつくとにおいが発生するのです。ですから、わきをよく洗って乾かすなどすれば、ある程度においを防ぐことは可能です。それでも解決しない場合は、治療を検討しましょう。

病院ではワキガ治療として、脱毛や手術を行っています。脱毛は電気脱毛機を使って、毛といっしょにアポクリン汗腺を破壊します。手術に比べると効果は落ちるので、症状が軽めの人向きです。手術はわきの下の皮膚に管を入れてアポクリン汗腺を吸引する方法と、切開し汗腺を切除する方法があります。費用は、左右両側で30万~40万円くらいからです。

Q 最近、口臭が気になります。どのようなケアをしたらいいのでしょうか?

A 口臭をカバーするだけでなく根本的なケアを

口臭は、口の中からにおっている場合のほか、胃の中からにおっている場合もあります。

口の中からにおっている場合は、雑菌が増殖していることが最大の原因。歯の磨き方が悪かったり、たばこを吸っていたりすると雑菌が増えます。口臭対策の消臭スプレーに頼るだけでなく、歯科で衛生状態などもチェックしてもらいましょう。

また唾液の分泌量が低下しても、雑菌は増えます。唾液による殺菌効果が弱まるためです。ストレスなどを受けると、唾液分泌をつかさどる自律神経のバランスがくずれ、唾液量が低下する「ドライマウス」を招くこともあります。よく噛まないことも唾液減少の原因になるので、食事のときによく噛む習慣をつけましょう。ガムを噛むことも、唾液分泌を促すので有効です。

そして、胃からにおっている場合は食べたものも関係しますが、深夜に食事をとるなどして胃があれていることも原因。遅い時間にとるなら、消化の悪いものは避けましょう。

また消臭効果のある牛乳を飲むのも手。牛乳を飲むと、たんぱく質が胃の中で分解され、においのもととなるアリシンという物質を包み込んでくれるからです。

Q 先日帰宅してブーツを脱いだときに姉から「なんか足におうよ」と言われました。足のにおいを消すことはできませんか?

A 足の指のあいだまできっちりブラシで洗って

この方のように、ブーツを脱いだときに足のにおいをだれかに指摘されたり、あるいは自分で気づかれたりする方は少なくありません。朝から晩までブーツを履きっぱなしだと、とくに気になるようです。

そもそも、なぜ足はにおうのでしょう。足の裏と手は、体の中でもっとも汗を多くかく部位。さらに足は、ブーツやタイツなどで蒸れやすい環境にあります。足が蒸れると、角質がふやけて雑菌が繁殖し、においを発するようになります。また、足の爪をのばすと、爪の下に角質がたまり、これもにおいの原因になります。

においを防ぐためには、足の裏はもちろん、足指のあいだまできっちり洗うことです。専用のブラシなども出ているので、それを利用するのもよいでしょう。においのもとになるポイントを徹底して洗うのが、いちばんの予防策です。

Q 乳首がかゆくてたまらないのですが、恥ずかしくてだれにも相談できません……

A ステロイド軟膏を処方してもらいましょう

乳輪のかゆみは、じつはめずらしいものではありません。恥ずかしがらずに、まず皮膚科を受診しましょう。

アトピー性皮膚炎などアレルギー体質の人は、乳輪部分にかゆみが出ることが多いようです。下着などで擦れるという物理的な刺激が原因のことも。かゆみが出ると、就寝中など無意識のうちにかきむしってしまいがちで、ひどくなるとジュクジュクした汁が出ます。

また、乳輪部分の皮膚がカサカサむけてしまうこともあります。

かゆみもカサカサも、基本的にはステロイド軟膏を塗って治療します。数日塗ればいったんは治まることが多いのですが、再発することもあります。再発したら、また薬などを塗って根気よくケアしていきましょう。下着を擦れにくく肌触りのよいものに替えることも必要です。

Q 乳輪や陰部の黒ずみは、レーザーなどで薄くすることはできますか？

A 残念ながら薄くすることはできません。気にしないことが大事

「性体験が少ない女性の陰部はピンク色で、性体験が豊富な女性の陰部は黒くなる」という俗説がありますが、これはまったく根拠のないことです。

乳輪や陰部は、生理的色素沈着部位と呼ばれ、メラニン細胞の活動が盛んな部位です。よって大人になれば、だれでも多少はホルモンバランスの影響でメラニンが増え、また、妊娠中はだれでも黒っぽくなります。

「黒ずみが気になるので、レーザーで薄くできませんか？」という人がときどきいらっしゃいますが、残念ながらできません。なぜならシミなどの色素沈着と違って、あくまで正常な皮膚の色だからです。

そもそも「黒っぽいのが気になる」と訴える女性のほとんどは、見ると普通の色をしています。自然な色を黒いと思い込んでいる人も多いようです。

また診察でたくさんの女性を見てきましたが、大人の女性の場合は、乳輪がピンク色の人などほとんどいません。程度の差こそあれ、黒っぽいものです。あまり気にしないことが肝心です。

ただし、かいてしまって乳輪が黒くなったなどの炎症性の色素沈着の場合は、ピーリングなどで薄くできる可能性があります。皮膚科で相談してみましょう。

Q 2、3年ほど前から陰部のかゆみで悩んでいます

A かいて悪化させる前に早めに皮膚科を受診して

陰部のかゆみには、さまざまな原因がありますが、その約3分の1は、「カンジダ腟炎」によるものといわれています。カンジダ腟炎は多くの女性が一度は経験するといわれ、恥ずかしいものではありません。

これはカンジダというカビの一種が、腟の中で繁殖することが原因。陰部がかゆくなるほか、白い粉状のおりものが出るのが特徴です。このような症状がある場合は、皮膚科あるいは産婦人科を受診して、カンジダを殺す塗り薬と腟錠（腟に挿入する薬）を処方してもらいましょう。

カンジダ腟炎を性病だと思い込んでいる人も多いようです。たしかに性交渉でうつることもありますが、ストレスなどによる免疫力の低下、抗生物質の使用、便秘もしくは下痢などが原因になることもあります。

また陰部のかゆみの原因には、陰部にできる「脂漏性皮膚炎《しろうせいひふえん》」もあります。毛の生えている部分がとくにかゆくなったり、赤くなったり、皮がめくれたりします。この場合は、弱めのステロイド軟膏でかゆみを抑える治療をします。

さらに、特別な原因がなくかゆみが生じる「陰部掻痒症《いんぶそうようしょう》」の可能性もあります。一見皮膚には目立った異常が見られないのにかゆみが生じる場合はその可能性があります。ついかきこわすと、よけいかゆみが増すという魔のスパイラルに。早めに皮膚科か産婦人科を受診し、ステロイド軟膏などの塗り薬を処方してもらいましょう。

Q ある朝ブラッシングをしていたら、後頭部にいわゆる「10円ハゲ」があるのに気づきました。ショックです……

A 自然に治ることが多いのですが漢方薬が効くこともあります

10円玉サイズの脱毛部ができるというのは、いわゆる「円形脱毛症」のことが多いもの。突然地肌が見えたときは、人によってはかなりショックなもののようです。

円形脱毛症というのは、めずらしいものではありませんし、放っておいても自然に治ることが多いので、それほど心配はいりません。

ストレスが関係しているともいわれますが、とくにストレスのない人にも見られ、実際のところ、西洋医学的には原因は解明されていないのです。そのため、決め手となる治療法がないのが現状です。

血行を促進する塗り薬や、解毒作用を高める飲み薬を処方して様子を見ますが、すぐに効果が出るとは限りません。そんなときに、威力を発揮するのが漢方治療です。

ストレスの要素が強ければ「柴胡加竜骨牡《さいこかりゅうこつぼ》蠣湯《れいとう》」「桂枝加竜骨牡蠣湯《けいしかりゅうこつぼれいとう》」をよく処方します。女性特有の不定愁訴がある人には「加味逍遥《かみしょうよう》散《さん》」、几帳面・心配性なタイプの人には「半夏《はんげ》厚朴湯《こうぼくとう》」が合うようです。

これを使いながらの生活改善も必要。早寝早起き、適度な運動、バランスのよい食生活が大切です。治るまでに1～2年かかることもありますが、あせらずじっくり治していきましょう。

素肌美人になれる

正しいスキンケア事典 index

※ここでは代表的なページだけを紹介しています。

英数字

あ

か

さ

た

な

は

ま

や

ら

わ

しいスキンケアを身につければ肌未来は明るい！

いかがでしたか？　みなさんがふだん行っているスキンケアと違ったのではないでしょうか。「本当に正しいスキンケア」というと、難しそうとか、めんどうなどというイメージがあったかもしれませんが、本書を通して決して難しいものではないことがおわかりいただけたのではと思います。適切なアイテムを選び、正しく使うこと。そして、生活習慣を正し、食生活にも気を配ることができれば、肌は健康的に整っていきます。まずは自分に足りないと思うケアをひとつずつ取り入れることから始めてみてください。

　最初はやることが多くなった気がして、めんどうに感じるかもしれません。でも、美しさは一日で手に入れることができないものです。継続こそ、美を身につける最大の秘訣。しかも、肌の内と外からの正しいケアを身につけておくと、表面的ではない、体の内側からの〝真の美しさ〟が手に入るのです。

　今、正しいスキンケアを知ることができたあなたは幸運の持ち主。これから正しいスキンケアを毎日コツコツと続けていくと、あなたの肌未来は確実に変わります。「きれいになってきた！」といううれしい変化があれば、続ける〝やる気〟も起きるはず。ぜひ一生ものの美肌を手に入れてください。

監修者

吉木伸子　よしき のぶこ

よしき皮膚科クリニック銀座院長。横浜市立大学医学部卒業。慶應義塾大学医学部皮膚科に入局後、レーザークリニック勤務、米国オハイオ州の形成外科、漢方診療所での研修等を経て、現職。東洋医学を取り入れた治療や、美容医療にも力を注ぐ。また、一般女性の肌やスキンケアについての正しい理解を高める活動にも積極的に取り組んでいる。
〈著書〉『スキンケア基本事典』（池田書店）、『正しいエイジングケア事典』（高橋書店）など多数
「よしき皮膚科クリニック銀座」 http://www.yoshiki-hifuka.com/

岡部美代治　おかべ みよじ

1949年生まれ。山口県出身。山口大学で生物学専攻。大学卒業後、化粧品メーカーの研究部門・商品開発・マーケティング等を担当。2008年4月に独立し、美容コンサルタントとして活動。美容情報を発信するサイト「ビューティサイエンスの庭」を運営。化粧品の基礎から製品化までの研究経験をもとに、化粧品を中心とした美容全般についてわかりやすく解説する。
〈著書〉『美肌手帖』（ワニブックス）、『化粧品成分ガイド第5版（共著）』（フレグランスジャーナル社）
「ビューティサイエンスの庭」 http://www.kt.rim.or.jp/~miyoharu/

小田真規子　おだ まきこ

東京都出身。料理家・栄養士・フードディレクターとして〈スタジオナッツ〉を主宰。「簡単、おいしい、ヘルシー」をモットーに、身近な材料を使ったアイデアとセンスあふれる料理は、初心者にも作りやすいと評判。オリジナル料理やお菓子のレシピ開発のほか、メニューアドバイスなど企業のコンサルティング業でも活躍。
〈著書〉『料理のきほん練習帳』（高橋書店）、『忙しい人のための圧力鍋レシピ』（オレンジページ）、『つくりおきおかずで 朝つめるだけ！弁当』（扶桑社）など多数
「スタジオナッツ」 http://studionuts.com/

素肌美人になれる

正しいスキンケア事典

監修者　吉木伸子／岡部美代治／小田真規子
発行者　高橋秀雄
発行所　**株式会社 高橋書店**
〒170-6014 東京都豊島区東池袋3-1-1 サンシャイン60 14階
電話　03-5957-7103

ISBN978-4-471-03214-2　©TAKAHASHI SHOTEN　Printed in Japan

本書の内容についてのご質問は「書名、質問事項（ページ、内容）、お客様のご連絡先」を明記のうえ、郵送、FAX、ホームページお問い合わせフォームから小社へお送りください。

回答にはお時間をいただく場合がございます。また、電話によるお問い合わせ、本書の内容を超えたご質問にはお答えできませんので、ご了承ください。本書に関する正誤等の情報は、小社ホームページもご参照ください。

【内容についての問い合わせ先】
書　面　〒170-6014 東京都豊島区東池袋3-1-1 サンシャイン60 14階　高橋書店編集部
F A X　03-5957-7079
メール　小社ホームページお問い合わせフォームから （https://www.takahashishoten.co.jp/）

【不良品についての問い合わせ先】

ページの順序間違い・抜けなど物理的欠陥がございましたら、電話03-5957-7076へお問い合わせください。ただし、古書店等で購入・入手された商品の交換には一切応じられません。